Cyfres Sut i Greu

SUT I GREU ENGLYN

Alan Llwyd

Cyhoeddiadau Barddas
2010

ⓗ Alan Llwyd

Argraffiad cyntaf: 2010

ISBN 978-1-906396-29-9

Cyhoeddwyd gyda chymorth ariannol
Cyngor Llyfrau Cymru.

Cyhoeddwyd gan Gyhoeddiadau Barddas
Argraffwyd gan Wasg Dinefwr, Llandybïe

Cynnwys

Pennod 1

Pwyntiau Dechreuol

MAE'R LLYFR HWN yn rhagdybio bod y sawl sy'n ei ddarllen yn gyfarwydd â rheolau'r gynghanedd ac yn gyfarwydd hefyd â gofynion yr englyn. Llyfr i bobl sy'n medru cynganeddu yw hwn, a phobl sydd hefyd yn medru englyna. Pwrpas y llyfr yw dadansoddi englynion, a dadansoddi'r broses o greu englynion, a cheisio dangos sut y gellir creu englynion da. Mae'n llyfr ar gyfer yr englynwr profiadol a'r englynwr llai profiadol, y ddau fel ei gilydd, gobeithio.

Ni all y llyfr hwn, nac unrhyw lyfr arall, greu englynwr da. Dawn ac ymroddiad yr unigolyn yn unig a all wneud hynny. Ond fe all llyfr fel hwn awgrymu dulliau o fynd ati i greu englyn, yn ogystal ag awgrymu nifer o batrymau neu ganllawiau y gellid eu dilyn.

Y peth cyntaf i'w wneud yw myfyrio ar y testun ymlaen llaw, myfyrio ar bob agwedd ar y testun. Yn ystod y broses hon o fyfyrio, fe ddaw'r hyn y mae'r englynwr yn dymuno'i ddweud yn fwyfwy amlwg iddo. Mae'n rhaid i'r englynwr fod yn hollol glir yn ei feddwl beth y mae'n dymuno'i ddweud o'r dechrau: hynny sy'n rhoi eglurder a miniogrwydd i'r gwaith. Os nad yw'r englynwr yn gwybod yn union beth y mae am ei ddweud, bydd y mynegiant yn wlanog, yn annelwig, yn flêr ac yn aneglur. Ac ar ôl cyfnod hir o fyfyrio, fe ddaw geiriau ynghyd, ar ryw bwynt neu'i gilydd, i droi'r myfyrdod yn fynegiant. Tri pheth sy'n creu celfyddyd yn y pen draw: myfyrdod, ysbrydoliaeth a chrefft. Mae'r myfyrdod yn rhwyddhau'r ysbrydoliaeth, ac mae'r ysbrydoliaeth yn defnyddio'r grefft i droi'r myfyrdod yn eiriau. Y myfyrdod sy'n penderfynu beth y mae'r bardd am ei ddweud, a'r cyfuniad o ysbrydoliaeth a chrefft sy'n penderfynu sut y mae'n mynd i'w ddweud, hynny yw, y mae'r union fynegiant a roir i'r hyn sy'n cael ei ddweud yn aml iawn y tu allan i reolaeth y bardd ei hun. Er bod y bardd yn gwybod beth i'w ddweud, o'r cychwyn cyntaf, nid yw'n gwybod sut y bydd yn ei ddweud nes bod yr holl broses ar ben a'r englyn neu'r englynion neu'r gerdd yn orffenedig.

Soniais lawer am y mater hwn o fyfyrdod yn *Crefft y Gynghanedd*. Mae myfyrio ar y pwnc, y testun neu'r thema yn hanfodol. Gwaith anodd dros ben yw llunio englynion da, englynion perffaith hyd yn oed, a rhaid cael cymorth o rywle. A derbyn ein bod yn gyfarwydd â rheolau'r gynghanedd, yn wir, a derbyn ein bod yn gynganeddwyr profiadol hyd yn oed, nid yw hynny'n ddigon. Mae'n rhaid i ni symud gam wrth gam, gan ddechrau â'r myfyrdod. Dyna'r cam cyntaf ar y daith ddyrys, ond pleserus, hon. Mae'r myfyrdod hwn yn arwain at ysbrydoliaeth, neu awen, neu gyffro creadigol yn y meddwl. Wedyn mae'r ysbrydoliaeth hon, sy'n deillio o'r myfyrdod, yn rhwyddhau geiriau, yn creu rhithmau, yn awgrymu delweddau. Mewn geiriau eraill, yn y broses greadigol y mae'r grefft yn ymbriodi ag ysbrydoliaeth, tan rym a dylanwad myfyrdod, a hynny sy'n creu cerdd neu englyn.

Dyma Gerallt Lloyd Owen yn trafod y ffordd y mae'n mynd o'i chwmpas hi fel bardd yn nhwymyn y creu yn y gyfrol *Ynglŷn â Chrefft Englyna* (Golygydd: T. Arfon Williams; 1981), gan sôn am bwysigrwydd y mater hwn o fyfyrdod ar yr un pryd:

> Pan gaf linell neu ymadrodd addawol fe'i hadroddaf yn uchel ddegau o weithiau, a thrwy gydol y ddefod ryfedd hon bydd un rhan o'm meddwl yn blasu ac yn gwrando ar sŵn yr hyn a adroddaf, a'r rhan arall fel pe'n ymbalfalu ymlaen, yn chwilio am sŵn cyfatebol yn codi o'r myfyrdod

a fu; fel petai'r syniad gwaelodol yn creu ei sŵn ei hun a'r sŵn yn creu ei ystyr ei hun. Efallai y pery hyn am hydoedd, yr ailadrodd, yr ymbalfalu, a'r ailadrodd, a dim i'w glywed ymlaen ond sŵn cwbl ddiystyr. Er enghraifft, bwriwch fy mod wedi cydio yn y geiriau 'Ar nos oer', efallai y clywech fi'n adrodd gydag arddeliad:

'Ar nos oer ynwwwsiiira'

a hynny sawl tro, fel petai hi'n llinell hunllefus o hardd! Rhyfedd, mae'n wir, ond rhyfedd neu beidio, o dipyn i beth daw synnwyr o'r sŵn. Ni allaf gynnig eglurhad ar hyn oddigerth dweud fy mod yn gwbl sicr bellach fod yr ymwybod a'r isymwybod ar waith wrth imi gynganeddu. Mae'r ymwybod fel pe'n galw ac yna'n gwrando gan ddisgwyl rhyw ymateb o'r isymwybod a pho hwyaf fu'r myfyrdod, cyflymaf y daw'r ymateb hwnnw. Yn wir, os yw dyn wedi meddwl yn ddwys am gyfnod maith – misoedd a hyd yn oed flynyddoedd – fe all y broses o greu fod yn un rhyfeddol o rwydd, oherwydd nad 'creu' y mae mewn gwirionedd ond datguddio neu ddarganfod yr hyn sydd eisoes wedi ymffurfio yn yr isymwybod. Dywedodd Waldo wrthyf un tro iddo sgrifennu awdl 'Tŷ Ddewi' mewn un penwythnos, os cofiaf yn iawn, ond iddo dreulio misoedd ar fisoedd yn ei myfyrio.

Mae rhai beirdd yn synio am y mater hwn o ysbrydoliaeth fel rhywbeth sy'n bod yn annibynnol ar y bardd ei hun, ac yn rhywbeth hefyd nad oes gan y bardd unrhyw reolaeth arno. Meddai T. Arfon Williams, wrth drafod un o'i englynion yn *Ynglŷn â Chrefft Englyna*:

Yn sicr ddigon nid oeddwn wedi bwriadu cerdd o'r fath cyn dechrau arni, ond wrth adael i eiriau awgrymu ei gilydd naill ai yn ôl eu sain neu yn ôl eu hystyr neu yn ôl eu cysylltiadau, ac wrth ganiatáu i frawddeg lefn ymffurfio heb wthio nac ystumio cystrawen naturiol lifeiriol yr iaith, fe ddaeth i fod. Ai ysbrydoliaeth yw hynny ni wn, ond gallaf dystio mai felly y bu ac mai felly y mae yn aml, a gallaf fynnu na pherthyn i mi ond swyddogaeth gyfryngol yr *amanuensis*, a chyfaddef wedyn nad eiddof fi mo'r gerdd orffenedig. Rwy'n derbyn y gellir tadogi arnaf unrhyw ddiffyg a ganfyddir ynddi, ond priodoler unrhyw geinder yn y gerdd i ryfeddod yr iaith, i wyrth y gynghanedd, ac yn y pen draw, ond odid, i Awdur pob prydferthwch.

Wrth englyna, ac wrth lunio barddoniaeth gynganeddol yn gyffredinol, nid cynganeddu geiriau yw'r nod ond cynganeddu syniadau, cynganeddu'r meddwl. Pan oedd T. Gwynn Jones yn beirniadu cystadleuaeth yr englyn yn Eisteddfod Genedlaethol Caergybi ym 1927, ceryddodd y beirdd am fod yn rhy barod i gynganeddu geiriau: 'A ellid mentro cynghori'r beirdd i beidio â derbyn awgrymiadau rhwyddaf y gynghanedd, o leiaf heb eu hystyried yn fanwl?' meddai. 'Yr Englyn' oedd testun cystadleuaeth yr englyn y flwyddyn honno, a chynganeddu'r gair 'englyn' a wnaeth nifer helaeth o'r cystadleuwyr. 'Er enghraifft,' meddai Gwynn Jones, 'y mae "onglog," "dehongli" ac "anglod" yn cynganeddu ag "englyn,"' ac mae'n rhoi nifer o enghreifftiau o linellau a grewyd trwy gynganeddu'r geiriau hyn, er enghraifft, llinellau sy'n cynnwys y trawiad 'englyn/ongl' neu 'englyn/onglog':

Englyn – A phob ongl yn hyglyw

Yr englyn aur onglog

Yw'r englyn byr onglog

Englyn – Pedair onglog trylen

Yr englyn pedair onglog

O'r englyn pedair onglog

Englyn – A'i onglog deleidion

Ac meddai:

Digoned yr enghreifftiau hyn o lusgo meddwl yn ôl y glust. Diau mai un o wendidau cynghanedd yw ei bod yn arglwyddiaethu ar brydyddion ac yn awgrymu'r un tarawiadau iddynt. Rhan o grefft prydydd craff, am hynny, fyddai osgoi ei hawgrymiadau nesaf at law, a pheri iddi hi wasanaethu'r meddwl yn hytrach na gormesu arno. At yr enghreifftiau uchod, lle nad oes ond cwlwm cynghanedd rhwng deuair, ceir o leiaf un enghraifft o linell gyfan a awgrymwyd i fwy nag un ymgeisydd – "Aur llên mewn pedair llinell," gan *Hen Saer* ac *Ifor*, ac "Aur llên i bedair llinell" gan *Epigram*. Y mae efallai fwy o esgus dros hyn, ac eto y mae'n ddiau mai'r gynghanedd a awgrymodd y ffansi.

Roedd T. Gwynn Jones yn beirniadu cystadleuaeth yr englyn yn Eisteddfod Genedlaethol Caernarfon ym 1921 yn ogystal, a cheryddodd rai beirdd am ganiatáu i'r gynghanedd reoli eu mynegiant ar yr achlysur hwnnw hefyd:

Eu bai pennaf yw gadael i'r gynghanedd a'i gofynion arglwyddiaethu gormod arnynt, nes peri iddynt ddywedyd y peth nesaf at law, megis, a'i ddywedyd weithiau'n drwstan, a thro arall ystumio'r iaith a'i chamdrin wrth ei ddywedyd. Gallai'r rhan fwyaf ohonynt ysgoi pethau fel hyn, pe bai wiw ganddynt gymryd y drafferth. Pe gwn[â]i grydd esgid â thyllau'r careiau'n anwastad, neu wneuthur o deiliwr wasgod ag un ochr iddi yn hwy na'r llall, fe welid bai arnynt.

Felly, yn naturiol, trwy gynganeddu'r meddwl yr eir ati i lunio englynion (a phob math arall o ganu cynganeddol hefyd), ac nid trwy gynganeddu geiriau. Meddai Gerallt Lloyd Owen eto yn ei ysgrif ar y grefft o lunio englyn yn *Ynglŷn â Chrefft Englyna*:

> Cyn mynd ati i lunio englyn byddaf yn gwybod ymlaen llaw beth sydd arnaf eisiau ei ddweud. Byddaf wedi cael 'syniad' neu 'olwg' ar y testun ac nid oes amheuaeth nad yw hynny'n hwyluso'r dasg. Elfennol, meddech chi; wel ie, ond fe synnech cynifer o englynwyr sy'n mynd ati'n ddifyfyr, a chofier nad yw byrfyfyr yn gyfystyr â difyfyr. Cefais brofiad o hyn lawer tro mewn ymryson wrth geisio gweithio englyn ar y cyd, a chanfod nad oedd hwn-a-hwn yn myfyrio'n greadigol o gwbl ond yn disgwyl gwyrth, yn disgwyl llinell o'r gwagle, a chan na ddeuai honno ar amrantiad, âi ati wedyn i chwilio am air a gynganeddai â gair.

Felly, dyna un peth y mae'n rhaid ei osgoi: cynganeddu geiriau. Peth arall i'w osgoi yw cynganeddu ffeithiau. Nid pwrpas englyn yw rhestru prif hanfodion neu brif nodweddion testun neu wrthrych. Y meddylfryd eisteddfodol sy'n gyfrifol am englynion o'r fath, sef y syniad mai pwrpas englyn mewn cystadleuaeth yw diffinio'r gwrthrych neu'r testun. Mae cystadleuaeth yr englyn yn yr Eisteddfod Genedlaethol, a sawl eisteddfod arall y ceir cofnod printiedig o'u cynhyrchion, yn dryfrith o englynion diffiniadol o'r fath. Bu beirniaid eisteddfodol erioed yn barod i gyhuddo cystadleuwyr o fod yn annhestunol, a'r ffordd i osgoi hynny oedd trwy fod yn ordestunol.

Ym 1976, yn Eisteddfod Genedlaethol Aberteifi a'r Cylch, testun yr englyn oedd 'Gwaed', a gosododd y beirniad, D. Gwyn Evans, yr englyn canlynol yn y dosbarth cyntaf:

> Ei ochel wna'r heddychwr, – ond euog
> O'i dywallt yw'r treisiwr;

Mewn ach mae'n dewach na dŵr
Ac o'i wrid caed Gwaredwr.

Yr hyn a geir yn yr englyn yw tri gosodiad plaen, rhyddieithol, fel hyn: (1) Mae'r heddychwr yn gochel rhag arllwys gwaed, ond mae'r treisiwr yn euog o'i dywallt; (2) Mae gwaed yn dewach na dŵr; (3) Cafodd y ddynoliaeth Waredwr trwy groeshoeliad Crist, a thrwy i'w waed gael ei arllwys ar y Groes. Ac nid o 'wrid' y gwaed y cafwyd Gwaredwr, ond o'r gwaed ei hun. Tri gosodiad cwbl ddigyswllt a geir yn yr englyn uchod, ac nid fel hyn y mae creu englyn.

Ystyrier y tri englyn canlynol ar yr un testun, 'Morthwyl':

Gwas inni, a'i goes onnen – yn gadarn
   I gyd at ei diben;
  Un da byth, gwastad ei ben,
  Hwylus i daro hoelen.

Robert Alun Humphreys

Rhyw ddwrn braf ar ddarn o bren; – â dur glop
   Dyry glec i hoelen
  Drwy g'letaf ddewraf dderwen,
  A saff yw hi dros ei phen.

Sylfanus Richards (Ab Ifan)

Gwir, hawli it guro hoelion – saer hoff
   Nasareth yn gyson,
  Eithr gwaedaist â'th ergydion
  Dduw a roed i'r ddaear hon.

Gwilym Roberts

Pa un yw'r gorau o'r tri? Dylai'r ateb fod y syml: y trydydd, wrth gwrs. Englyn diffiniadol yw'r un cyntaf. Mae'n dweud wrthym sut fath o beth ydyw morthwyl a beth yw ei bwrpas, sef bwrw hoelen ar ei phen. Yn wir, cawn wybod mai '[c]oes onnen' sydd iddo, a dyna inni fanylyn dibwys os bu un erioed. 'Does dim lle, na chyfiawnhad, i gynnwys ffeithiau dibwys ac amherthnasol o'r fath mewn englyn. Englyn diffiniadol yw'r ail englyn yn ogystal, a nodir yn hwn hefyd mai diben morthwyl yw taro hoelion i mewn i bren, ac, yn yr ail englyn hwn, nodir mai bwrw hoelion i mewn i dderwen a wneir, a'r dderwen honno ymhlith y dewraf! Mae'r trydydd englyn yn ein codi i dir uwch o lawer. Cafodd Gwilym Roberts olwg ar y testun, a chawsom englyn trawiadol ganddo, gyda dau ddarlun gwahanol, gwrthgyferbyniol, y naill yn y paladr a'r llall yn yr esgyll, ac eto, mae'r ddau ddarlun tra gwahanol hyn yn rhoi undod i'r pennill.

A dyma un enghraifft arall o englyn diffiniadol:

Y BWRDD

Gweilch Arthur fu'n gylch wrtho, – lle inni
    Roi ein lluniaeth arno;
Hwn yw swyn y casino,
A man oed Ei gymun o.

J. Lloyd Jones

A dyna i ni bedwar bwrdd mewn un englyn: Bord Gron Arthur a'i farchogion, y bwrdd bwyd, bwrdd gamblo a bwrdd y cymun.

Meddai Mathonwy Hughes wrth feirniadu cystadleuaeth yr englyn yn Eisteddfod Genedlaethol Wrecsam a'r Cylch, 1977, pan ofynnwyd am englyn ar y testun 'Taid/Tad-cu', neu 'Nain/Mam-gu':

Fel y gallesid disgwyl, aeth rhai o'r ymgeiswyr ati'n gydwybodol, yn eiriadurol bron, i ddweud wrthym beth a olygir wrth daid neu nain, ac y mae'r mwyafrif mawr ohonynt yn eu disgrifio'n addolgar dros ben. Wrth droedio'r dorlan sigledig hon, y mae'n hawdd iawn dweud gormod neu ddweud rhy 'chydig. Cyffredinoli'n arwynebol yr ydych wrth geisio dweud y cwbl am y gwrthrych, ond disgrifio'n rhannol yr ydych wedyn wrth sôn am rai agweddau ar gymeriad.

'Mae'n berthynas mor agos i'r ddihareb, a dyna pam y mae englyn campus yn gofiadwy ac yn byw,' meddai Mathonwy Hughes yn ei feirniadaeth, ac nid trwy gwmpasu pob agwedd ar y testun y mae llunio englyn cofiadwy a byw.

Felly, dyna ddau beth hanfodol ynglŷn â chreu englyn da – cynganeddu'r meddwl yn hytrach na chynganeddu geiriau, a chynganeddu gweledigaeth farddonol yn hytrach na chynganeddu ffeithiau neu restru nodweddion. Mae un peth arall sy'n gwbl hanfodol wrth greu englyn, sef chwaeth – gwybod beth sy'n dda a gwybod beth sy'n gyffredin neu'n wael, gwybod beth i'w dderbyn a beth i'w wrthod. I gloi'r bennod hon, dyma ddeg o englynion, pum englyn da a phum englyn gwael neu gyffredin. Gofynnir i'r darllenydd benderfynu pa rai yw'r englynion da a pha rai yw'r englynion gwael neu gyffredin, cyn i mi eu dadansoddi.

Dyma'r englynion:

DRWS

Darn yw â chlec dwrn a chlo; – at ofyn
Ystafell rhaid wrtho.
Rhag twrf a drwg tyrfa dro,
Mae nodded tu mewn iddo.

MYNEGFYS

Da i ŵr ar groesffordd dyrys – ydyw
Y didwyll fynegfys;
Ar ei hir goes yr erys,
A gair o falm ger ei fys.

AR DDECHRAU BLWYDDYN

Rhy hawdd fu prynu rhoddion, – a rhy hawdd
Eu rhoi i'n cyfeillion;
Anodd i'n llaw roddi'n llon
Galennig i'n gelynion.

Y GALON

Fe'i ganed i galedi, – yn wrol
Y curodd trwy gyni,
Ond er oes o'i dewrder hi
Fe ddaeth hiraeth a'i thorri.

MANEG

I'r rhyw deg nid yw wegi – rhoi y ddel
Ar ddwylo rhag oerni;
Ac addas yn Nhŷ Gweddi
Y dasg hardd o'i diosg hi.

ER COF AM GRAHAM PROSSER
(A fu farw'n ifanc mewn damwain car)

Nid rhaid i ti'r ehedydd adnabod
anobaith yr hwyrddydd
gan it ddringo'n aflonydd
i wlad well cyn canol dydd.

Y TŶ HAF

Yn ein bro Afallon braf – ariannog
    Estroniaid fynychaf,
    A'i ddôr ar agor yr haf
    Ond ar gau drwy y gaeaf.

WY

Y cread cain! Crud y cyw – yw'r wy bach,
    Dôr byd i'r ehedryw.
    Neuadd deg ei nodded yw,
    A hedyn yr iâr ydyw.

CASTELL HARLECH

Harlech lwyd! rhoed breuddwydion yn goron
    Ar ei gerrig geirwon,
    A hynod rawd y drudion
    A roes hud i frud ei fron.

FY NHAD

Yn fore mewn llafurwaith – addolodd
    Â'i ddeheulaw filwaith;
    Ei weddi ef oedd ei waith,
    A'i glod oedd ei galedwaith.

Wrth fyfyrio ar yr englynion hyn, ac wrth geisio dewis y pum englyn da o'u plith, anghofier fod y fath beth â chwaeth bersonol yn bod. Mae'r rhain un ai yn englynion da neu'n englynion sâl yn ôl pob chwaeth a deddf a greddf a grewyd erioed, hynny yw, y chwaeth gyffredinol safonol sy'n mesur a phwyso'r englynion hyn o safbwynt eu hansawdd a'u gwerth, nid unrhyw chwaeth bersonol fympwyol.

Dyma gynnig sylwadau ar bob un:

(1) 'Drws': Englyn sy'n traethu ffeithiau yw hwn, englyn ffeith-
iol, rhyddieithol, a math o englyn sydd i'w osgoi yn llwyr. Nodi
dibenion drws a wneir yn yr englyn, ac mae 'at ofyn/Ystafell
rhaid wrtho' yn chwerthinllyd o ryddieithol. Hefyd, mae'r llinell
yn traethu'r amlwg. 'Does dim angen dweud rhywbeth mor amlwg
â hyn ar ffurf rhyddiaith blaen, heb sôn am ei ddweud ar gyng-
hanedd. Ac wedyn dyna'r esgyll truenus. Mae'n ymddangos mai
prif bwrpas drws yw rhoi nodded ac amddiffynfa rhag 'twrf a
drwg' y dorf y tu allan, rhag rhyw dorf brotestgar, ymosodol,
filwriaethus, mae'n debyg. A gair er mwyn y gynghanedd yn unig
yw 'dro'.

Ceir y llinell olaf mewn englyn arall, ac fe wnaed gwell defnydd
o lawer ohoni yn yr englyn hwnnw. Dyma englyn Tîm Ymryson
y Beirdd Sir Aberteifi, 'Gorsedd y Beirdd':

> Nid y cledd ond y weddi – a'i harddwch
> A rydd urddas arni;
> Mae nodded tu mewn iddi
> I'r Gymraeg rhag ei marw hi.

Awdur yr englyn hwn i 'Drws' yw Morgan Price, ac fe'i
cyhoeddwyd yn *Beirdd y Babell* (Golygydd: Dewi Emrys; 1939).
Englyn gwael.

(2) 'Mynegfys': Englyn diffiniadol yw hwn yn ei hanfod ('ydyw/
Y didwyll fynegfys'). '[A]r groesffordd ddyrys' a ddylai fod yn y
llinell gyntaf, ond byddai hynny yn lladd y gynghanedd. Mae'r
englynwr hwn yn defnyddio'r ansoddair 'didwyll' i ddisgrifio'r
mynegfys, gan mai nodi enw lle a phellter yn ffeithiol gywir a
wna, ond nid 'didwyll' yw'r ansoddair mwyaf priodol yma. Llinell
chwerthinllyd yw'r drydedd, 'Ar ei hir goes yr erys', enghraifft
berffaith o gynganeddu rhywbeth arwynebol a dibwys, cyngan-

eddu *trivia* mewn gwirionedd. A dyna'r gair hollol anghymwys 'balm' yn y llinell olaf wedyn. Diben mynegfys yw rhoi gwybodaeth, nid rhoi balm. Ac yn hytrach na rhoi undod i'r englyn, gweithio'n groes i'w gilydd a wna 'coes' a 'bys' yma.

Yr awdur yw J. W. Williams, un arall o englynwyr *Beirdd y Babell*. Englyn gwael.

(3) 'Ar Ddechrau Blwyddyn': Rydym yn camu i fyd gwahanol gyda'r trydydd englyn. Yn gyntaf, mae'n hynod o grefftus, a hawdd gweld mai hen law sydd wrthi. Ceir cyferbynnu effeithiol a chelfydd yma, rhwng 'hawdd' ac 'anodd', rhwng 'cyfeillion' a 'gelynion', a 'rhoi' a 'r[h]oddi' a 'rhoddion' a '[ch]alennig' yn rhoi undod i'r englyn. Tra bo'r paladr yn dweud un peth, mae'r esgyll yn dweud rhywbeth hollol wahanol i hynny. Ac yn ail, mae'n englyn gyda rhywbeth i'w ddweud. Mae'n hawdd i ni roi anrheg neu rodd i'n cyfeillion, ond mae dangos caredigrwydd tuag at elynion yn llawer mwy anodd.

Yr awdur yw Ieuan Wyn. Englyn rhagorol.

(4) 'Y Galon': Dyma englyn celfydd ei adeiladwaith, ac mae pob llinell ynddo yn adeiladu at yr uchafbwynt a geir yn y llinell olaf. Pwysleisio gwroldeb, gwydnwch a dewrder y galon a wneir yn y tair llinell gyntaf, a hynny er mwyn i'r llinell olaf ddod fel sioc. Mae '[c]aledi' a '[ch]yni' yn cyfateb i'w gilydd o ran ystyr, ac felly hefyd 'yn wrol' a 'dewrder', gan roi undod i'r englyn.

Yr awdur yw Evie Wyn Jones. Englyn gwych.

(5) 'Maneg': Dyma englyn sy'n dweud dim byd oll, am nad oes gan yr awdur ddim byd oll i'w ddweud. Ofnadwy yw 'y ddel' yn y llinell gyntaf, ac mae'r esgyll yn druenus i'r eithaf. Pam mae tynnu'r faneg mewn Tŷ Gweddi yn 'dasg hardd' ac 'addas'? Ai oherwydd bod diosg menig mewn capel yn weithred sy'n dangos parch a gweddustra? Os felly, beth yw'r pwynt o'i

ddweud? Dyma enghraifft arall o gynganeddu deunydd dibwys, distadl ac amherthnasol.

D. Charles Davies yw'r awdur, un arall o englynwyr *Beirdd y Babell*. Englyn gwael.

(6) 'Er Cof am Graham Prosser': Dyma un-frawddeg, un-ddelwedd o englyn, englyn coffa trawiadol, ysgubol, urddasol. Cyferbynnir rhwng 'hwyrddydd' (henaint) a '[ch]anol dydd' (canol oed, ond 'cyn canol dydd' yn awgrymu cyn canol oed, hynny yw, ieuenctid), a rhwng 'anobaith' yr hwyrddydd a'r 'wlad well' y dringir iddi cyn canol dydd.

T. Arfon Williams yw'r awdur. Englyn rhagorol.

(7) 'Y Tŷ Haf': Mae'r paladr celfydd yn arwain at y cyfochredd cystrawennol gwrthgyferbyniol a geir yn yr esgyll rhwng y drws sydd 'ar agor yr haf' ond 'ar gau drwy y gaeaf'. Mae i'r syniad o Afallon le ac arwyddocâd arbennig yn chwedloniaeth ac yn ymwybyddiaeth y Cymry, ond Afallon sy'n perthyn i 'estroniaid' yw hon bellach, a'r estroniaid hyn wedi meddiannu 'ein bro'.

Alun Jones (Alun Cilie) yw awdur yr englyn hwn. Englyn gwych.

(8) 'Wy': Englyn rhwysgfawr yw hwn. Disgrifir rhywbeth mor gyffredin a dinod ag 'wy' mewn iaith ddyrchafedig, aruchel, orfarddonllyd, 'Y cread cain', a 'Neuadd deg', er enghraifft. Mae disgrifio wy fel 'Neuadd deg' yn cyrraedd pen draw eithaf ynfydrwydd ac yn treisio pob chwaeth a greddf. A dyna'r gair ffug 'ehedryw' am 'adar' wedyn. Ac nid 'hedyn yr iâr' yw wy – dyna gymysgu ffigurau yn ddifrifol. Rhyw fath o englyn diffiniadol yw hwn eto ('yw'r wy bach').

Yn *Beirdd y Babell* y cyhoeddwyd hwn eto, englyn o waith 'Hoffnant'. Englyn gwael.

(9) 'Castell Harlech': Dyma englyn annelwig, haniaethol a rhydd-ieithol. Fe'i cymerwyd allan o'i gyd-destun, gan mai rhan o gadwyn mewn awdl ydyw. Mae'n englyn diffygiol o ran crefft i ddechrau. Mae 'goron' yn y llinell gyntaf yn odli â'r pedair prif-odl, ac yn taro'n chwithig ac yn ansoniarus ar y glust (er nad y bai Gormod Odlau a geir yma). Ac mae'r drydedd linell yn gynghanedd bendrom, bai mawr sylfaenol arall yn y canu caeth. Hefyd, mae 'yn goron' a 'gerrig geirwon' yn cynhyrchu gormod o'r un sŵn. Ystyr 'drudion' yw 'dewrion', ac er ein bod yn gwybod beth yw ystyr 'hynod rawd', ymadrodd llanw, haniaethol ydyw. Ac mae'r llinell olaf yn ddifrifol o wael.

Daw'r englyn allan o awdl Edgar Phillips (Trefin), 'Harlech', a enillodd Gadair Eisteddfod Genedlaethol Wrecsam ym 1933. Englyn gwael.

(10) 'Fy Nhad': Englyn syml a diffuant yw hwn, ac englyn di-rwysg hefyd. Mae'r cwpled clo yn crynhoi'r hyn a ddywedir yn y paladr. Dyma ŵr duwiol a da a gŵr diwyd yn ogystal, gŵr a gredai mewn 'llafurwaith' ac yn Nuw. Ceir cyfochredd cystraw-ennol yn yr esgyll. Mae 'llafurwaith' a '[ch]aledwaith' yn asio â'i gilydd o ran ystyr, ac felly hefyd 'addolodd' ac 'Ei weddi ef'.

Sarnicol (Thomas Jacob Thomas) yw'r awdur. Englyn gwych.

Trown yn awr at y grefft o lunio englyn da.

Pennod 2

Hanfodion Englyn Da

DYMA DDEG HANFOD o safbwynt creu englyn da:

(1)   Gwaledigaeth
(2)   Undod
(3)   Llinellau cyfwerth
(4)   Cynildeb
(5)   Perffeithrwydd
(6)   Newydd-deb, gwreiddioldeb: osgoi hen drawiadau
(7)   Geirfa fyw, fanwl, naturiol
(8)   Yr elfen gofiadwy
(9)   Lleoliad llinellau
(10) Angerdd

Mae'n bwysig gwybod pa bethau y dylid eu hosgoi er mwyn gwybod pa bethau y dylid eu gwneud yn aml. Rhaid osgoi rhai arferion drwg. Felly, wrth drafod hanfodion englyn da byddwn hefyd yn trafod y pethau y mae angen eu hosgoi yn llwyr.

Y peth cyntaf i'w roi ar ein rhestr o ddeg hanfod yw gwaledig-aeth, hynny yw, golwg ar y testun. Dylai fod gan yr englynwr rywbeth i'w ddweud, rhywbeth i'w gyfathrebu. Nid dweud dim byd oll drwy gyfrwng y gynghanedd yw'r nod, ond dweud rhyw-beth sy'n werth ei ddweud, dweud rhywbeth arwyddocaol, sylweddol, trawiadol, cyffrous. Dyfynnwyd eisoes rai englynion sy'n dweud dim byd. Dyma un arall o gampweithiau *Beirdd y Babell,* englyn i 'Wy' eto, y tro hwn gan Elias Edward Humphreys:

Wy del o wyn a melyn, – moeth luniaeth
Maethlonaf mewn plisgyn;
Deorol nawdd aderyn,
A rhodd hael yr iâr i ddyn.

Dyma enghraifft arall o draethu'r amlwg. Mae pawb yn gwybod mai gwyn a melyn yw lliw wyau. Mae yna or-ddweud wedyn pan ddisgrifir wy fel 'moeth luniaeth/Maethlonaf'. Mae'r drydedd linell yn druenus, a'r llinell olaf yn chwerthinllyd, hynny yw, yr iâr ei hun, yn ei haelioni mawr, sy'n rhoi wy i ddyn, fel anrheg.

Ni allai'r cynganeddu disgleiriaf, cywreiniaf yn y byd achub englyn o'r fath, gan nad oes ynddo ddim byd y gellir ei achub. Felly, ni all y gynghanedd yn unig, ar ei phen ei hun, greu englyn da. Yn yr englyn uchod, mae'r gynghanedd a'r meddwl yn gweithio ar wahân i'w gilydd, yn hytrach na bod y meddwl a'r mynegiant yn un. Swyddogaeth y gynghanedd yw cyfannu a chreu perffeithrwydd, ac ni ellir creu perffeithrwydd os yw'r deunydd crai yn ddiwerth ac yn ddisylwedd. Rhaid cael rhywbeth i'w ddweud: dyna reol rhif 1.

Yr ail beth i'w nodi yw undod. Mae undod yn hanfodol. Mae pob englyn da a grewyd erioed yn meddu ar undod. 'Dylai fod yn yr Englyn unigol, fel ymhob math arall o farddoniaeth, undod; dylai'r englyn fod yn gyfanwaith bychan,' meddai Gwenallt wrth feirniadu cystadleuaeth yr englyn yn Eisteddfod Genedlaethol Bae Colwyn ym 1947. Dewi Emrys a enillodd y gystadleuaeth honno gydag englyn a oedd i ddod yn un o englynion mwyaf adnabyddus yr iaith, 'Y Gorwel':

Wele rith fel ymyl rhod – o'n cwmpas,
Campwaith dewin hynod;
Hen linell bell nad yw'n bod,
Hen derfyn nad yw'n darfod.

Yn ôl Gwenallt:

Y mae yn yr englyn hwn undod; y mae yn gyfanwaith bychan. Disgrifir y Gorwel fel rhith, rhith a wnaed gan ddewin; pan eir at y gorwel, nid yw yno, dyna'r rhith; ond fe welir y gorwel ymhellach. Ceir y syniad hwn gan lawer o'r englynwyr yn y gystadleuaeth hon, ond nis mynegwyd fel yn yr englyn hwn. Y mae i englyn ei ddull ymadrodd ei hun; dull clir, cryno, cwta a chynhwysfawr. At hynny fe ddylai englyn redeg yn llyfn ac yn bersain.

Bydd llawer o sôn am undod yn y llyfr hwn.

Dyma dri englyn ac ynddynt wahanol fathau o undod, gan ddechrau gydag englyn o waith bardd anhysbys:

> Marw a wna'r carw yn y coed, – a marw
> Wna morwyn ysgafndroed;
> Marw pawb, marw poboed,
> Marw'r hyna' a'r ie'nga' 'rioed.

Ceir undod syniadol ac undod technegol yn yr englyn hwn. Un peth a ddywedir ynddo, un gwirionedd tragwyddol, sef bod marwolaeth yn dod i bob peth byw, i bawb o bob oedran, i'r hynaf a'r ieuengaf; ac o safbwynt techneg, mae'r ailadrodd a geir ar y gair 'marw' yn rhoi undod ychwanegol iddo. Mae'r englyn yn traethu un gwirionedd mawr oesol.

Math arall o undod, sef undod delweddol, a geir yn englyn T. Arfon Williams, 'Asgwrn Cefn':

> Y 'Bachgen Doeth' uchod fu'n bodio lwmp
> o glai gan ein mowldio
> ni o laid ar ei ddelw O
> a'n cynnal â'i fecano.

Englyn chwareus, gogleisiol yw hwn, ac mae'r un ddelwedd a geir ynddo yn rhoi undod a chyfanrwydd iddo. Dyma englyn arall ac ynddo undod o'r dechrau i'r diwedd, englyn i Kate Roberts gan Gerallt Lloyd Owen, englyn a geir mewn cyfres o englynion i goffáu 'Awdures ein dyfnderoedd':

> Baw ar wyneb yr heniaith a fwriwyd,
> Ar leferydd perffaith;
> Rhoed pridd ar burdeb rhyddiaith,
> Bwriwyd baw ar burdeb iaith.

Ceir yn yr englyn hwn undod o safbwynt yr hyn y mae'n ei ddweud, yn sicr, ond ceir undod hefyd yn ffordd y caiff ei ddweud, a hwnnw'n undod clòs, annatod. I ddechrau, mae pedwar ymadrodd yma yn adleisio ei gilydd: 'ar . . . yr heniaith', 'Ar leferydd', 'ar burdeb rhyddiaith', 'ar burdeb iaith'. Ailadroddir y gair 'baw' a geir yn y llinell gyntaf yn y llinell olaf, gan gydio yn y gair cyfystyr 'pridd' yn y drydedd linell. Mae'r berfau 'a fwriwyd', 'Rhoed' a 'Bwriwyd' hefyd yn asio â'i gilydd, ac fe ailadroddir 'Baw . . . a fwriwyd' y llinell gyntaf o chwith yn y llinell olaf, 'Bwriwyd baw', ac mae 'perffaith' a '[p]hurdeb' hefyd yn cyfateb i'w gilydd o ran ystyr. Ac fe geir yn yr esgyll gyfochredd cystrawennol ystyrol perffaith: 'Rhoed'/'Bwriwyd'; 'pridd'/'baw'; 'ar'/'ar'; 'burdeb'/'burdeb'; 'rhyddiaith'/'iaith'.

Felly, dyna nodi dau beth hanfodol eisoes: gweledigaeth ac undod. Cyn trafod yr hanfodion eraill, mae'n bwysig ein bod yn oedi am eiliad i wrando ar farn rhai beirdd eraill.

Ym 1924 roedd R. Williams Parry yn beirniadu cystadleuaeth yr englyn yn Eisteddfod Genedlaethol Pont-y-pŵl, ar y cyd â J. J. Williams. Dywedodd Williams Parry mai cyffredin oedd y mwyafrif o'r englynion, a nododd rai o'r rhesymau pam yr oedd yr englynion hyn yn gyffredin. Yn gyntaf, meddai, 'nid yw'r ymgeiswyr wedi sylweddoli mai'r geiriau goreu yn unig a ddylai gael mynediad i mewn i ofod mor fychan a mesur mor fyr â'r englyn, ac nid yw'r geiriau goreu hynny byth yn dyfod yn syth o'r geiriadur, ond yn syth o'r galon'. Mae'n adleisio geiriau Coleridge yma i raddau – 'I wish our clever young poets would remember my homely definitions of prose and poetry; that is, prose – words in their best order; poetry – the best words in their best order'. Pledio defnyddio geiriau syml, naturiol yr iaith yr oedd Williams Parry, a geiriau byw, manwl, yn hytrach na hen eiriau a geiriau ffug. Ni all geiriau marw greu celfyddyd fyw. 'Anaml, os byth, y clywir, nac y clywwyd, y geiriau hyn ar dafod neb; felly, i bwrpas englyn – yn wir, i bwrpas pob ffurf lenyddol – geiriau meirwon ydynt,' meddai.

Yr ail gamwedd yn ôl Williams Parry oedd bod gan yr ymgeiswyr 'ormod o eiriau o'u bathiad hwy eu hunain, yn enwedig geiriau cyfansawdd'. Gall gair cyfansawdd fod yn effeithiol iawn os caiff ei ddefnyddio i loywi'r mynegiant ac i danio'r farddoniaeth, er enghraifft, disgrifiad Gerallt Lloyd Owen o Nel yr ast ddefaid yn ei awdl 'Gwanwyn', 'A'i hanadlu *tafodlaes*/Yn codi mwg hyd y maes', neu ddisgrifiad Dic Jones o'r 'ŵyn arianfyw' yn ei awdl yntau i'r 'Gwanwyn' yn *'ffroengrych* edrych yn ôl'. Trydanu a bywhau'r farddoniaeth a wna geiriau cyfansawdd o'r fath, ond geiriau cyfansawdd er mwyn cwblhau'r gynghanedd a oedd dan sylw gan R. Williams Parry. 'Byddai'r geiriau gwneyd hyn,' meddai, 'yn boblogaidd ymysg yr hen feirdd, ond er eu gwaethaf, ac nid o'u herwydd, y darllenir Cymraeg canol heddyw, a buasai'r gogynfeirdd hwythau ar eu mantais o fod wedi arfer mwy o eiriau gwarantedig gan gyfraith iaith, yn lle ceisio cylchrediad i'w creadigaethau anghyfreithlon hynny'.

Y trydydd rheswm pam yr oedd cymaint o englynion cyffredin yng nghystadleuaeth 1924 oedd fod gan y beirdd 'dermau na pherthyn yn hollol i'r ddau ddosparth a enwyd,' sef 'rhyw ddirprwy-eiriau geiriau gwell,' er enghraifft, 'hudoledd' yn lle 'hudoliaeth', 'seinber' am 'bersain', 'perorol' am 'gerddorol', ac yn y blaen. Mae'r gwendid hwn eto yn ymwneud â geirfa neu ieithwedd y bardd, ac yn pwysleisio eto fyth mai'r iaith fyw, naturiol yw iaith barddoniaeth, ac nid unrhyw fath o iaith wneud neu iaith farw. 'Er mwyn odl neu gynghanedd y defnyddir y geiriau hyn gan mwyaf, er fod gan ambell fardd reddf ddifêth at goeg-eiriau o'r fath: geiriau o fewn galwad mewn argyfwng,' meddai Williams Parry wedyn.

A'r gwendid olaf a nodir ganddo yw hen drawiadau, trawiadau a chyfuniadau cyfarwydd sy'n rhwystro'r englyn rhag bod yn newydd ac yn wreiddiol, er i R. Williams Parry ddweud mai'r 'unig adeg y gellir cyfiawnhau hen darawiad yw pan fo ganddo ergyd newydd mewn cwmni newydd'. Ond gwell osgoi hen drawiadau yn gyfan gwbl, os oes modd.

Ddwy flynedd yn ddiweddarach roedd R. Williams Parry yn beirniadu'r englyn yn Eisteddfod Genedlaethol Abertawe. Testun yr englyn oedd 'Tŷ To Gwellt', a'r peth cyntaf a wnaeth, gyda chynifer â 220 wedi cystadlu, oedd 'chwynnu', hynny yw, cael gwared â'r englynion salaf yn y gystadleuaeth, er mwyn dod o hyd i'r goreuon. Nododd fod yn y gystadleuaeth bum gwahanol fath o englynion anfoddhaol, cyn trafod englynion gorau'r gystadleuaeth. Englynion gwallus eu cynghanedd (neu ddigynghanedd mewn mannau) oedd y math cyntaf. Yr ail fath oedd 'englynion annealladwy', ac mae'n dyfynnu'r englyn canlynol:

Hirhoedlog â'r hyawdledd – yn ebion
    Hybarch gwlad-gyfaredd:
    Tŷ to gwellt wyt a gwylltedd –
    Gyfred ias a gwefr dy wedd.

Y trydydd math o englynion anfoddhaol oedd y rhai 'a gynnwys hen drawiadau penllwyd neu ystrydebol', englynion ac ynddynt 'gyffredinedd moel', ac mae'n dyfynnu rhai llinellau, llinellau sydd 'yn ddarostyngiad ar swydd anrhydeddus y gynghanedd', i enghreifftio'r 'cyffredinedd moel' hwn. Dyma rai:

Dan glodydd Eden gwladwr

Ei glyd furiau glodforwn

Hoffusol a hen ffasiwn

Hen fwthyn hynafiaethol

Ger ffiniau y gorffennol

ac yn y blaen.

Y pedwerydd math o englyn aflwyddiannus, wedyn, oedd 'englynion diafael, afrwydd, ac anystwyth', ac mae'n dyfynnu'r englyn canlynol fel enghraifft o'r math hwn o englyn (englyn ac ynddo wall cynganeddol, fe ddylid nodi):

> O hesg a brwyn, di-rwysg ei bryd, – ei do
> Wedi'i daenu'n blethglyd;
> "Adref" i ach ac edryd
> Oes y glew, bu'n ddiddos, glyd.

A'r math olaf o englynion salaf y gystadleuaeth oedd 'englynion ffraethbert', sef 'englynion a gynnwys drawiadau y mae'n rhaid gwenu uwch eu deheurwydd yn hytrach na rhyfeddu at eu celfyddyd'. Englynion diffygiol eu chwaeth a olygir yma, nid englynion ffraeth, fel y dengys y llinellau a ddyfynnir ganddo, er enghraifft:

Hynod nyth i 'nhaid a 'nain

Dyna dwym yw dan ei do!

I werinwr a'i Wenno

Mae'n gain i gyd mewn gown gwyn

Fu'n eithaf nyth i fy nain

Ac ar ôl 'didoli holl englynion gwallus, tywyll, cyffredin, afrwydd, a chwareus y gystadleuaeth' y trodd Williams Parry at yr englynion gorau. Felly, dyna bum math o englyn anfoddhaol ac annerbyniol – mathau o englynion y dylid eu hosgoi, mewn gwirionedd – sef yr englyn gwallus (wrth reswm), yr englyn tywyll, annealladwy, yr englyn ystrydebol neu gyffredin, yr englyn afrwydd, clogyrnaidd, a'r englyn sy'n ddiffygiol o ran chwaeth.

Gan droi at weddill yr englynion, neilltuodd bedwar dosbarth arall, i bob pwrpas, ar gyfer y goreuon. Dyna, i ddechrau, yr englynion y ceid ynddyn nhw un llinell dda, yn unig. 'Medd amryw o'r uchod linellau cyfoethog neu gyrhaeddgar,' meddai, ac mae'n dyfynnu rhai o'r llinellau hynny, er enghraifft:

A thruan fwth yr hen fyd

Cartref miwsig a rhigwm

Hwn yw bwthyn hen bethau

Wedyn daw'r englynion sy'n meddu ar 'gypledau hapus', gan awgrymu mai dwy linell yn unig yn yr englynion hyn sy'n dda, a'r ddwy linell arall heb fod cystal. Cafodd englynion tebyg ddwy flynedd yn flaenorol, yn Eisteddfod Genedlaethol Pont-y-pŵl. '[Y]n ddieithriad bron,' meddai, 'dechreu'n gyffredin a wna'r englynion hyn sy'n diweddu mor drawiadol'; ond, '[o]s yw'r esgyll yn gryf, mae corff marw'r paladr yn rhwystro i'r englyn ehedeg ond gyda'r ddaear'.

Mae'n cloi trwy ddyfynnu dau englyn cyfan, a'r ddau, er na wyddai R. Williams Parry hynny ar y pryd, o waith yr un bardd, sef Eifion Wyn. 'Mae englynion cyfain gweddus a chymeradwy gan rai, heb ddim cofiadwy ynddynt,' meddai, gan ddyfynnu'r ddau englyn o waith Eifion Wyn i brofi ei bwynt:

Anhardd ei fur oedd efô, – tlawd ei sut,
Aelwyd serch hen Gymro:

29

Gwynlliw'r calch a difalch do
Oedd addurn gwladaidd iddo.

Gwelwyd o'i fewn galed fyd, – yr hen fwth
Cadarn ei fur brychlyd:
Ond tan y to clymog, clyd,
Ceid afiaith a chainc deufyd.

Hynny yw, yn ôl R. Williams Parry, crefft yn bennaf a geir yn y
ddau englyn uchod, heb fawr ddim o awen neu ysbrydoliaeth,
neu wefr neu gyffro; englynion 'gweddus a chymeradwy' ydyn
nhw, 'heb ddim cofiadwy ynddynt'. Ond wedyn mae'n rhaid i ni
ofyn pam nad oes dim byd cofiadwy ynddyn nhw. Disgrifiad o
wedd allanol y bwthyn a geir yn yr englyn cyntaf, a haniaethol ac
annelwig yw'r darlun at ei gilydd. Ceir gosodiadau moel yma, fel
'Aelwyd serch hen Gymro', gosodiad rhyddieithol a haniaethol
noeth. Digon tebyg yw'r ail englyn, a nodi ffeithiau a wneir yn
hwn eto, 'Gwelwyd o'i fewn . . .', 'Ceid afiaith . . .', a hynny
mewn modd amhersonol, clinigol bron.

Dywedodd Williams Parry fwy nag unwaith y dylai englyn fod
yn gofiadwy. Wrth feirniadu yn Eisteddfod Genedlaethol Pont-
y-pŵl, dyfynnodd yr englyn canlynol (o waith Eifion Wyn eto, ar
y testun 'Tant y Delyn'), a oedd yn un o'r pedwar englyn gorau
yn y gystadleuaeth:

Erchi y bu serch a bâr, – rhyfelawg
Orfoledd a galar:
Dwg ledgof o nwyd gwladgar,
A thra bo Cymro fe'i câr.

Dywedodd Williams Parry nad oedd ganddo 'ddim penodol' yn
erbyn yr englyn, oherwydd yr oedd yn ddifrycheulyd, meddai,
'mewn iaith, mewn cynghanedd, mewn cydbwysedd', ond, er
hynny:

Y gŵyn sydd gennyf yn ei erbyn yw nad yw'n englyn cofiadwy. Profwyd hynny drosodd a throsodd wrth geisio ei ddwyn i gof. Efallai nad yw telyneg lawer gwaeth o fethu ei chofio, ond nid englyn ond a gofier.

Eifion Wyn a enillodd ar yr englyn ym 1924, gydag englyn a oedd ymhell o fod yn berffaith:

> Delyn hoff! Ein cenedl ni – gâr ei thant,
>   Gwyrth o hud yw iddi:
>   Tant ei chân, tant ei chyni,
>   A thant aeth â'i henaid hi.

'Nid oes dim anghyffredin iawn yn y llinell gyntaf; ac yn ddi-os gorfodedigion y gynghanedd yw "gwyrth o hud" yr ail linell,' meddai R. Williams Parry, ond, 'nid oes yn y gystadleuaeth ddim a aflonydda ymennydd y darllenydd fel ei esgyll'. Cytuno â'i gydfeirniad a wnaeth J. J. Williams: 'Cyffredin yw'r llinell gyntaf; ac nid yw "gwyrth o hud" yn apelio rhyw lawer atom. Hoffwn y ddwy olaf yn fawr'.

Dyfarnwyd dau englyn yn gydradd fuddugol gan R. Williams Parry a J. T. Job yn Eisteddfod Genedlaethol 1926, gan mai'r ddau englyn hyn yn unig 'a blesia oreu bob safon resymol' yn ôl Williams Parry. Hynny yw, y ddau englyn hyn yn unig a oedd yn dod agosaf at gynnwys pob elfen angenrheidiol, sef mynegiant clir, cryno, celfydd; crefft a chyffro; undod; yr elfen gofiadwy, ac yn y blaen. Dyma'r ddau englyn:

> Dŷ f'hendaid llwyd ei fondo, – a'i glydwch
>   O grefft gwledig ddwylo;
>   Ceid byw diddan dan ei do,
>   A'r heniaith oedd bêr yno.

> Â'th frig gwellt, a'th furiau can, – ti ydoedd
>   I'n teidiau'n hoff drigfan;

Hen fwth eu hatgof weithian,
A hwy yn llwch yn y llan.

Mewn gwirionedd, bu'n rhaid i'r ddau feirniad gyfaddawdu â'i gilydd. Dewis J. T. Job oedd yr englyn cyntaf, o waith Eifion Wyn eto. Yr ail englyn oedd dewis R. Williams Parry, a hynny ar ôl iddo ddangos y ddau i Syr John Morris-Jones i ofyn am ei farn arnynt. Yr englyn a ffafriai R. Williams Parry a ddewisodd John Morris-Jones hefyd, sef englyn o eiddo George Rees, Llundain, enillydd aml yng nghystadleuaeth yr englyn yn yr Eisteddfod Genedlaethol, ond nid mor aml ag Eifion Wyn.

Ond pa englyn yw'r un gorau, pe bai'n rhaid i ni ddewis? Englyn Eifion Wyn yw'r un sy'n cael ei gofio bellach, neu'n hytrach, englyn Eifion Wyn a gâi ei gofio mewn oes pan oedd mwy o ddiddordeb yn y pethau hyn. Gellid condemnio'r cywasgiad 'Dŷ f'hendaid' ynddo, ymadrodd afrwydd braidd, ond mae'r gweddill yn llifo'n esmwyth, ac mae'r englyn yn rhoi inni ddwy wedd ar y 'Tŷ To Gwellt', sef y wedd allanol yn y llinell gyntaf, a'r wedd fewnol yn yr esgyll. Mae englyn George Rees yn fwy 'caled' a'r arddull yn fwy ffurfiol a phell, a braidd yn amwys yw'r drydedd linell. 'Hen fwth eu hatgof' meddir, gan gyfeirio at y 'teidiau', ond os yw'r rhain bellach 'yn llwch yn y llan', sut y gallan nhw feddu ar 'atgof'?

Felly, trwy astudio beirniadaeth R. Williams Parry ar gystadleuaeth yr englyn yn Eisteddfod Genedlaethol 1926, gyda'i gondemniad ar 'englynion gwallus, tywyll, cyffredin, afrwydd, a chwareus y gystadleuaeth', ac ar yr englynion hynny sy'n cynnwys un llinell dda yn unig, neu gwpled da yn unig, a'i gondemniad hefyd ar englynion 'gweddus a chymeradwy' nad oes dim byd yn gofiadwy yn eu cylch, gallwn droi'r elfennau negyddol, diffygiol hyn yn elfennau cadarnhaol, a llunio rhestr newydd o bethau sy'n hanfodol i greu englyn da. Hynny yw, i bob pwynt negyddol ceir gwrthbwynt cadarnhaol:

32

gwallus	cywir
tywyll	clir, eglur, dealladwy
cyffredin	gwreiddiol, newydd
afrwydd	llyfn, di-straen
chwareus	chwaethus
un-llinell	cyfanrwydd, undod
un-cwpled	cyfanrwydd, undod
gweddus	gwych
cymeradwy	rhagorol
'heb ddim cofiadwy'	cofiadwy

Yn Eisteddfod Genedlaethol Abertawe ym 1926 y cafwyd y sylwadau uchod gan R. Williams Parry. Pan ddaeth yr Eisteddfod i Abertawe ym 1964, cafwyd cystadleuaeth arbennig, 'Englynion Coffa: R. Williams Parry', gyda Thomas Parry yn beirniadu. Fel R. Williams Parry o'i flaen, mae Thomas Parry yn nodi nifer o wendidau yn englynion y beirdd, ac mae'n ddiddorol cymharu'r ddwy restr o wendidau neu ddiffygion â'i gilydd.

'Nodwedd gyffredin ar amryw o'r ceisiadau yn y gystadleuaeth hon yw rhyw anwastadrwydd rhyfedd,' meddai Thomas Parry, gan ymhelaethu: 'Fe geir llinell dda, ac un dila yn ei dilyn neu fe geir englyn go drawiadol a'r nesaf ato yn wantan iawn'. Felly, dyna nodi un gwendid a nodwyd gan Williams Parry yn ogystal, sef englynion sy'n cynnwys un llinell dda yn unig, neu baladr neu esgyll da yn unig; mewn geiriau eraill, anwastadrwydd.

Wedyn mae Thomas Parry yn dyfynnu englyn sy'n 'anesboniadwy' iddo, a dyma wendid enfawr arall, gwendid sy'n cyfateb i 'englynion annealladwy' R. Williams Parry. Condemnir cystadleuydd arall gan Thomas Parry am nad oedd 'ymdeimlad barddol yr awdur hwn cystal â'i grefft o lawer', ac un arall eto am ganu 'mewn dull arwynebol', ac oherwydd bod y 'mynegiant a'r cynganeddu yn rhy rwydd, a'r ansoddeiriau yn fynych yn ddiarwyddocâd', sef y dull o englyna 'ystrydebol' a nodwyd gan R. Williams Parry. Mae Thomas Parry yn dyfynnu un englyn arwynebol o'r fath, ac ni ellir ond cytuno ag ef:

I'r llannerch fe ddaw'r llwynog – am ennyd
Dros y mynydd cribog
A'i oediad yn odidog
Uwch y glyn mewn cringoch glog.

Gwendidau eraill a gondemnir gan Thomas Parry yw mynegiant gwael a gwlanog a defnyddio ymadroddion 'i lenwi llinell o gynghanedd'.
Mae'n dyfynnu'r cwpled canlynol yn ei feirniadaeth:

Yn fud i'w weryd yr aeth –
Bu i Wynedd yn bennaeth.

'Meddylied y bardd o ddifri a oes rhywbeth mwy na chynghanedd yn yr ail linell,' meddai. Hynny yw, llinell er mwyn llenwi yw hon, llinell ddiystyr, chwerthinllyd braidd, a llinell sy'n bradychu diffyg chwaeth difrifol ar ran yr awdur.
Am gystadleuydd arall, 'Y mae'n resyn mawr na fyddai'r bardd hwn wedi ymddisgyblu llawer mwy, ac ymwrthod ag ambell bennill llafurus a thrwsgl,' meddai, gan ddyfynnu'r englyn canlynol:

Ffieiddia droi i Ffydd drist, – i ffars hy
Phariseaeth welwdrist;
Heriai gynghrair ag Anghrist
A budd ein 'crefydd' a'n 'Crist'.

'Geiriau a geiriau a geiriau yn cymylu'r ystyr ac yn cymysgu meddwl y sawl sy'n darllen, yn lle eu bod yn gloywi'r ystyr a miniogi'r meddwl,' meddai Thomas Parry. Mae'r englyn uchod yn perthyn i'r un dosbarth ag 'englynion diafael, afrwydd, ac anystwyth' R. Williams Parry.
Nid R. Williams Parry yw'r unig fardd neu feirniad i roi pwyslais mawr ar yr elfen gofiadwy hon. Nodwyd rhai o hanfodion

englyn llwyddiannus gan T. Llew Jones wrth feirniadu cystad-
leuaeth yr englyn yn Eisteddfod Genedlaethol Sir Benfro, 1972:

Fe ddylai fod yn em bach di-fai o ran ei grefftwaith, heb
unrhyw wastraff ynddo. Fe ddylai fod yn *gofiadwy* – mor
gofiadwy nes bod pobl yn cael blas ar ei adrodd a'i ail-
adrodd wrth eu ffrindiau a'u cydnabod o hyd ac o hyd. Fe
ddylai ei apêl fod yn ddigon i sicrhau lle iddo ar furiau ein
hysgolion ni, ac ar dafodau'r plant.

Felly, wrth lunio englynion, mae gwybod beth i *beidio* â'i
wneud yr un mor bwysig â gwybod beth i'w wneud. A'r peth
hanfodol i'w wneud yw gweithio'n galed, a newid a newid,
nes bod yr englyn yn llwyddo'n berffaith. Mae cyngor Gwenallt,
wrth iddo feirniadu cystadleuaeth yr englyn yn Eisteddfod
Genedlaethol Caerffili ym 1950, yn un gwerthfawr a buddiol –
hanfodol a dweud y gwir. Meddai am oreuon y gystadleuaeth:

Fe welir i'r cystadleuwyr lwyddo i lunio llinell dda, neu
esgyll da, ond gadawsant ansoddeiriau llac a llinellau llipa
yn eu henglynion. Diffyg dal-ati yw eu gwendid; diffyg
amynedd, dyfalbarhad. Wrth lunio englyn rhaid treio llinell
fel hyn ac fel arall; ymlafnio, naddu, morteisio; ac ynghanol
y llafur fe ddaw, yn aml, y gair iawn fel fflach; ond y mae'n
rhaid aros amdani.

Felly, dyna rai sylwadau gan y meistri, ac ambell gyngor
buddiol hefyd. Trown yn ôl yn awr at y rhestr o ddeg hanfod a
geir ar ddechrau'r bennod hon. Trafodwyd eisoes yr ail hanfod
ar y rhestr honno, sef undod. I greu undod, rhaid cael llinellau
sy'n gyfwerth â'i gilydd, fel yn englyn Gerallt Lloyd Owen i Kate
Roberts. Yn yr englyn hwnnw mae pob llinell unigol yn dda
ynddi ei hun, ond mae pob un o'r llinellau hyn hefyd yn cyf-
rannu at yr undod llawn, at y patrwm cyflawn, gorffenedig.

Hynny yw, mae'r llinellau sy'n gyfwerth â'i gilydd hefyd yn cydweithio â'i gilydd i greu undod perffaith. Meddai Gwenallt, eto wrth feirniadu cystadleuaeth yr englyn yn Eisteddfod Genedlaethol Bae Colwyn, 1947: 'Gadawodd Trebor Mai a Dewi Havhesp un dylanwad anffodus ar yr englynwyr ar eu hôl, sef llunio llinell olaf englyn yn gyntaf, a honno yn llinell darawiadol, ysgubol; a llunio'r tair llinell arall wedyn, llinellau llanw'.

Mae'n rhaid i bob llinell, felly, fod yn gyfwerth â'i gilydd. Ni all un llinell dda, na dwy, na thair, greu englyn da. Rhaid cael pedair llinell dda, a'r pedair llinell hynny yn cydweithio'n berffaith â'i gilydd. Meddai Meuryn wrth feirniadu cystadleuaeth yr englyn yn Eisteddfod Genedlaethol Ystradgynlais ym 1954: 'Diffyg meistrolaeth ar y gelfyddyd, neu ryw ddiofalwch rhyfedd, ydyw y rheswm fod beirdd sy'n gallu llunio llinell dda yn ei chysylltu â llinellau gwan iawn'. Rhoir dwy enghraifft ganddo (gan gofio mai 'Y Dyn Dŵad' oedd testun yr englyn y flwyddyn honno):

> Un heb wraidd o fewn ein bro, – daw iddi
> Â nodweddion allfro;
> Am hyn, gwnaed fel y mynno,
> Ar hast rwydd ni thrystir o.

> Rhai a ddwed: "Digymar ddyn – yw efe,
> A'i dwf oll fel rhosyn";
> Ond i eraill dihiryn
> Yw, tra chas o natur chwyn.

Y llinell orau yn yr englyn cyntaf, yn sicr, yw'r llinell gyntaf, ond gwan ryfeddol yw'r gweddill, fel y noda Meuryn. Cafwyd y llinell gyntaf hon, gyda rhyw fymryn o wahaniaeth ynddi, mewn englyn arall yn y gystadleuaeth yn ogystal, sef un o'r tri englyn a osodwyd ar frig gan y beirniad:

Un yw heb wraidd yn ein bro – a damwain
Ei ddod yma i dario;
Mae'n darged bwled lle bo
I lid ardal a'i dwrdio.

Ond mae'n anodd gweld pa un yw'r llinell dda yn yr ail englyn a ddyfynnwyd gan Meuryn. Yr unig linell ac iddi bosibiliadau yw'r drydedd linell, 'Ond i eraill dihiryn', ac mae'r englyn yn cynnwys gwall amlwg, a difrifol hefyd, sef Trwm ac Ysgafn, gan na all 'dyn' odli â 'chwyn'.

Dyma englyn gan J. H. Bennett, un o feirdd *Awen Maldwyn* (1960) gynt, 'Llosg Eira':

Hawddfyd a droes yn riddfan – i hogyn
Fu'n rhedegydd buan,
O'i anfodd yn yr unfan,
A'i iasau tost ar bwys tân.

Cafodd yr englynwr hwn afael ar linell wych, 'Hawddfyd a droes yn riddfan', llinell ac ynddi wrthgyferbyniad cryf, ond yn hytrach na defnyddio'r llinell mewn englyn da – fel y llinell glo efallai – fe'i defnyddir mewn englyn tila ryfeddol, a chaiff y llinell ei gwastraffu'n llwyr.

Ni all englyn sy'n dibynnu ar un llinell dda yn unig byth lwyddo, ddim mwy nag y gall englyn ac ynddo gwpled da yn unig lwyddo. Yn aml iawn, pan geir cwpled gwych, trawiadol, y cwpled yn unig sydd wedi goroesi, fel na wyr fawr neb am y paladr a oedd ynghlwm wrtho ar un adeg. Er enghraifft, mae'r cwpled canlynol, o waith Llawdden, yn enwog iawn:

'Nôl blino'n treiglo pob tref
Teg edrych tuag adref.

Ond ychydig iawn sy'n gyfarwydd â'r englyn sy'n cynnwys y cwpled, ac fe geir anghytundeb ynglŷn â hynny hyd yn oed.

Dyma un fersiwn o'r englyn y mae'r cwpled uchod yn perthyn iddo:

> Y gleisiad, difrad yw ef, – o'i ddichwain
> A ddychwel i'w addef;
> 'Nôl blino'n treiglo pob tref
> Teg edrych tuag adref.

Ond fe geir fersiwn arall hefyd, a hwnnw'n fwy llafar ei naws, a'r elfen lafar hon wedi newid rhywfaint ar yr odl:

> Ar ôl pob man, llan, a lle, – a chwrw,
> A charu merchede;
> 'Nôl blino'n treiglo pob tre,
> Teg edrych tuag adre.

Dyma gwpled enwog arall, o waith Evan Evans (Ieuan Fardd neu Ieuan Brydydd Hir):

> Y cyfaill gorau, cofia,
> A lleufer dyn, yw llyfr da.

Ond mewn englyn, nid mewn cywydd, y ceir yr englyn yn wreiddiol, sef:

> O bydd llon hinon dydd ha', – neu wybren
> Yn obrudd y gaea',
> Y cyfaill gorau, cofia,
> A lleufer dyn, yw llyfr da.

Cwpled enwog arall yw'r cwpled canlynol, o waith Emrys:

> Segurdod yw clod y cledd,
> A rhwd yw ei anrhydedd.

Ac o'r englyn canlynol y daw'r cwpled:

Celfyddyd o hyd mewn hedd – aed yn uwch
O dan nawdd tangnefedd;
Segurdod yw clod y cledd,
A rhwd yw ei anrhydedd.

A'r cwpled yn unig sydd wedi goroesi i bob pwrpas.
Y pedwerydd hanfod ar y rhestr o ddeg yw cynildeb. Mae'n
rhaid bod yn rhyfeddol o gynnil mewn mesur mor fyr â'r englyn.
Mae'n rhaid i bob gair dalu am ei le, ac mae'n rhaid dweud
llawer mewn ychydig o ofod.

Dyma dair enghraifft o gynildeb mewn englynion. Enillodd yr
englyn canlynol, 'Llaw', gystadleuaeth yr englyn yn Eisteddfod
Genedlaethol Llanbedr Pont Steffan ym 1984, a'r awdur yw
T. Arfon Williams:

Diau tlawd ydwyt, lodes, – oherwydd
Er darparu cynnes
Wely it a choban les
Rwyt ti'n oer heb bartneres.

A dyna ddweud llawer iawn mewn ychydig o ofod. Hynny yw, er
bod y llaw yn glyd ac yn dwym mewn maneg, rhyw fath o gyn-
hesrwydd ffug, artiffisial yw hwnnw, a dim ond trwy afael mewn
llaw arall y gall gael ei chynhesu o ddifri, hynny yw, cariad yn
unig a all gadw'r llaw rhag bod yn oer, ac mae 'oer' yn golygu
'trist' yn ogystal â 'di-wres' yn y llinell olaf (cf. 'Oer calon dan
fron o fraw'). Dyna englyn rhyfeddol o gynnil.

Idris Reynolds yw awdur yr englyn canlynol, 'Dysgwr':

Mewn gardd a fu yn harddach, – a'i lliwiau
Yn llawer tanbeitiach,
Y mae rhosynnau mwyach
Yn bywhau y border bach.

Yr ardd yn yr englyn yw Cymru, y Gymru Gymraeg yn enwedig. Bu'r ardd honno, gardd y genedl, yn harddach unwaith, hynny yw, bu Cymru unwaith yn harddach pan oedd mwy o bobl yn siarad y Gymraeg, pan oedd ei diwylliant yn gryfach, a chyn i'r chwyn ei meddiannu a'i thagu. Roedd y blodau hynny hefyd yn danbeitiach eu lliwiau, hynny yw, roedd mwy o raen ar yr iaith pan oedd mwy yn ei siarad, a mwy o raen ar ddiwylliant Cymru hefyd. Ond bellach mae border bach yr ardd yn llawn o rosynnau a'r rheini yn bywhau'r border. Amlwg yw'r cyfeiriad yma at delyneg boblogaidd Crwys, 'Y Border Bach', ond yn wahanol i honno, nid yw'r chwyn yn difa'r blodau yn englyn Idris Reynolds. Mae'r dysgwyr bellach wedi ymuno â siaradwyr brodorol yr iaith i amddiffyn y ffin ('border').

A hwn yw'r trydydd, 'Canol Oed' gan Gerallt Lloyd Owen:

> 'Yma, Syr.' Mor amserol – reolaidd
> yw'r alwad foreol,
> ond, brynhawn, pan awn yn ôl
> nid pob un sy'n bresennol.

Cafodd y bardd ei ddelwedd o fyd plentyndod, yn briodol ac yn eironig, a saernïodd ei englyn o gwmpas y syniad o athro yn llenwi'r gofrestr yn yr ysgol yn y bore. Mae pawb yn ateb yr athro yn y bore (plentyndod); 'does neb yn absennol, ond pan awn yn ôl i'r ysgol yn y prynhawn (canol oed), mae rhai o'r cyddisgyblion a oedd yn bresennol yn y bore yn absennol. Mae ein cyfoedion a'n cyfeillion yn lleihau ac yn prinhau wrth inni heneiddio. Dyma englyn arall sy'n dweud llawer iawn mewn deg sillaf ar hugain.

Perffeithrwydd yw'r pwynt nesaf i'w nodi. Mae'r gynghanedd ynddi ei hun yn system berffaith lle ceir cydbwysedd perffaith rhwng cytseiniaid, llafariaid, odlau ac acenion. Ar ben hynny, holl bwynt y gynghanedd yw creu perffeithrwydd, creu llinellau a chwpledi ac unedau mydryddol cyfan nad oes modd eu newid byth heb eu dinistrio. Perffeithrwydd yw'r hyn sydd mor gyflawn berffaith fel na ellir ei newid byth, a dylai pawb chwilio am berffeithrwydd mynegiant wrth lunio englyn.

Newydd-deb a gwreiddioldeb wedyn. Mae gwreiddioldeb o ran syniad neu thema neu ddelwedd yn gwbl angenrheidiol, a rhaid mynegi'r deunydd gwreiddiol a newydd hwn mewn ffordd wreiddiol a newydd hefyd, ac yn hyn o beth mae osgoi hen drawiadau yn hanfodol, er i R. Williams Parry ddweud y gellir cyfiawnhau hen drawiad 'pan fo ganddo ergyd newydd mewn cwmni newydd'.

Trafodwyd geirfa eisoes, wrth ddyfynnu'r hyn yr oedd gan R. Williams Parry i'w ddweud am y mater, ac fe soniwyd am yr elfen gofiadwy hefyd. O safbwynt geirfa, defnyddio'r iaith fyw sy'n bwysig, iaith fyw bersonol yr awdur, ac nid defnyddio hen eiriau neu eiriau ffug. Er enghraifft, dyma englyn allan o awdl Edgar Phillips (Trefin), 'Harlech', englyn sy'n cael ei ddifetha gan eiriau fel 'elgeth' a 'malpai':

> Ar elgeth uwchlaw'r weilgi, – wele dŵr
> Hawlia dant i'w foli,
> Try ei dâl tua'r dyli
> Malpai yno'n gwrando'i gri.

A dyma englyn arall, 'Y Cwmwl', gan fardd gwlad o'r enw Richard Jones (Dofwy):

> Oer lwydwe nwyfre lydan – a wisg Duw,
> Cysgod haf rhag huan;
> Nef weinydd i dwf anian,
> Dioda'r byd o'i dŵr ban.

Ceir hen eiriau yma, 'nwyfre' (wybren, awyr), 'huan' (haul), yn ogystal â mynegiant barddonllyd, 'Nef weinydd' a 'dŵr ban'. Fel y dywedwyd eisoes, a rhaid ei ddweud eto: ni all iaith farw greu englyn byw.

Lleoliad llinellau yw'r nawfed pwynt, ac mae hwn yn bwynt hynod o bwysig. Mae'n rhaid gwybod ymhle y dylid lleoli llinellau, ac ymhle y mae llinellau yn gweithio orau, er enghraifft, ystyrier y gwahanol fersiynau hyn o englyn o waith Robert ap Gwilym Ddu:

> Blino wrth rodio yr ydwyf – bellach,
>   A chan bwyll yr elwyf;
>   I'r ffon yr ymfodlonwyf,
>   Llusgo ar ôl, llesgáu'r wyf.

> Ac i'r ffon yr ymfodlonwyf – bellach,
>   A chan bwyll yr elwyf;
>   Llusgo ar ôl, llesgáu'r wyf,
>   Blino wrth rodio'r ydwyf.

> Ac i'r ffon yr ymfodlonwyf – bellach,
>   A chan bwyll yr elwyf;
>   Blino wrth rodio'r ydwyf,
>   Llusgo ar ôl, llesgáu'r wyf.

Pa un o'r tri hyn yw'r gorau, a pham? Ac yn wir, a oes gwahaniaeth? A pha un yw englyn gwreiddiol, cywir Robert ap Gwilym Ddu? Mae'r tri englyn yn dda, ond mae un sy'n well na'r lleill. Pa un yw'r cwestiwn? Y trydydd, yn sicr. Yn un peth, ni ddylid hollti na rhannu'r cwpled:

> Blino wrth rodio'r ydwyf,
> Llusgo ar ôl, llesgáu'r wyf.

Mae ail linell y cwpled yn ategu'r hyn a ddywedir yn y llinell gyntaf, gan bwysleisio a chryfhau'r hyn a ddywedir ynddi. Mae 'Blino' a 'llesgáu' yn gyfystyr â'i gilydd, ac felly yn asio â'i gilydd. Mae 'llusgo' wedyn yn parhau'r syniad hwn o flinder a llesgedd henaint, ac mae sŵn a rhithm herciog a chloff y llinell olaf, yn enwedig yr ymadrodd 'llesgáu'r wyf', yn cyfleu llesgedd a chloffni henaint i'r dim.

A dyma englyn ar yr un thema, 'Henaint' gan Owen Gethin Jones, gyda dau gwpled clo gwahanol:

> Drwy ddiwydrwydd y ddeudroed – y cerddais,
>> Nes cwrddyd â'r trithroed:
>> Ar ôl dydd y trydydd troed
>> Daw hurtrwydd a phedwartroed.

> Drwy ddiwydrwydd y ddeudroed – y cerddais,
>> Nes cwrddyd â'r trithroed:
>> Daw hurtrwydd a phedwartroed
>> Ar ôl dydd y trydydd troed.

Pa un yw'r gorau y tro hwn? Dylai'r ateb fod yn syml. Yr englyn cyntaf o'r ddau yw'r gorau, oherwydd bod yr ail englyn yn torri ar draws y rhediad a'r drefn naturiol a rhesymegol a geir yn yr englyn gwreiddiol: deudroed, trithroed, trydydd troed, pedwar-troed.

A dyma un arall, 'Ymson Un o'r Doethion' gan Tudur Dylan Jones:

> Er pryder yn nyfnder nos, er amau
>> ac er tramwy beunos
>> rwy'n dal i weld seren dlos
>> dros dir yr hirymaros.

> Er pryder yn nyfnder nos, er amau
>> ac er tramwy beunos
>> dros dir yr hirymaros,
>> rwy'n dal i weld seren dlos.

Pa un yw'r gorau y tro hwn? Yr ail yw'r ateb, wrth gwrs, gan fod y llinell 'rwy'n dal i weld seren dlos' yn fwy o uchafbwynt na'r llinell arall, ac arwain at uchafbwynt a wna'r englyn o'r dechrau i'r diwedd: 'Er pryder . . .', 'er amau . . .', 'er tramwy . . .'. Gwrth-uchafbwynt a geid trwy gloi'r englyn â'r llinell 'dros dir yr hirymaros'.

Dyma bum enghraifft arall i gloi.

AFON

Mae afon ddofn y bu'i hofn hi – arnaf
    yn fwrn er fy ngeni;
    heddiw rwyf wrth ddod iddi
    'n ofni'i lled yn fwy na'i lli.

Mae afon ddofn y bu'i hofn hi – arnaf
    yn fwrn er fy ngeni;
    ofni'i lled yn fwy na'i lli
    heddiw rwyf wrth ddod iddi.

T. Arfon Williams

Y RHESWM
(*Y wraig feichiog a ddioddefai o'r cancr ac a wrthodai gymryd cyffuriau rhag peryglu bywyd ei baban.*)

Do, gwrthododd bob moddion – i'w harbed,
    Er ei dirboen cyson;
    O gariad at y gwirion
    Un roes ei heinioes oedd hon.

Do, gwrthododd bob moddion – i'w harbed,
    Er ei dirboen cyson;
    Un roes ei heinioes oedd hon
    O gariad at y gwirion.

Tîm Talwrn Yr Wyddgrug

UWCH DRWS TŶ HAF
(*wedi'i losgi*)

Dialedd Heledd yw hyn; – hen ofid
    Yr amddifad grwydryn
    Yn tywys y pentewyn
    Liw nos i Gynddylan Wyn.

Dialedd Heledd yw hyn; – hen ofid
    Yr amddifad grwydryn
    Liw nos i Gynddylan Wyn
    Yn tywys y pentewyn.

Ieuan Wyn

Y DDAWNS FLODAU

Eiddil ŷnt yng ngŵydd y wlad, – yn eu plyg
    Dim ond plant, am eiliad,
    Yn rhoi ias i'n goroesiad
    Ar grindir ein hir barhad.

Eiddil ŷnt yng ngŵydd y wlad, – yn eu plyg
    Dim ond plant, am eiliad,
    Ar grindir ein hir barhad
    Yn rhoi ias i'n goroesiad.

Tîm Talwrn Gweddill Cymru

CARCHAROR
(*Ffred Ffransis*)

Dianc o'th gell ni elli, – hawliau iaith
    Yw y clo sydd arni,
    Y Gymraeg ei muriau hi
    A'n hanes yw'r cadwyni.

45

Dianc o'th gell ni elli, – hawliau iaith
Yw y clo sydd arni,
Ein hanes yw'r cadwyni
A'r Gymraeg ei muriau hi,

Idris Reynolds

A dyma englyn wedi ei osod mewn tair ffordd wahanol:

CILMERI

Angau o fawr ing a fu – yng Nghwm-hir,
Angau 'mhobl oedd hynny;
Angau amrwd fy Nghymru
Os rhoed d'arch dan dywarch du.

Os rhoed d'arch dan dywarch du – yng Nghwm-hir,
Angau 'mhobl oedd hynny;
Angau o fawr ing a fu,
Angau amrwd fy Nghymru.

Os rhoed d'arch dan dywarch du – yng Nghwm-hir,
Angau 'mhobl oedd hynny;
Angau amrwd fy Nghymru,
Angau o fawr ing a fu.

Gwynn ap Gwilym

Yn englyn T. Arfon Williams, yr englyn cyntaf yw'r gorau, gan
mai uchafbwynt yr holl englyn yw'r llinell ''N ofni'i lled yn fwy
na'i lli'. At y syniad hwn y bu'r englyn yn arwain o'r sillaf gyntaf
un. Yr ail englyn gan Dîm Talwrn Yr Wyddgrug yw'r gorau, ac
mae'n hanfodol fod yr englyn yn cloi gyda'r llinell 'O gariad at y
gwirion', gan mai dyna holl bwynt yr englyn a'r holl reswm pam
y gwrthododd y wraig feichiog hon gymryd cyffuriau. Unwaith
yn rhagor, gwrth-uchafbwynt a geid pe gorffennid yr englyn

46

â'r llinell 'Un roes ei heinioes oedd hon', a byddai hynny yn rhoi gormod o bwyslais o lawer ar 'hon'. Ar y ffaith ei bod wedi gwrthod derbyn cyffuriau 'O gariad at y gwirion' y dylid rhoi'r pwyslais. Yn englyn Ieuan Wyn, 'Liw nos i Gynddylan Wyn' yw'r llinell glo yn yr englyn gwreiddiol, yn naturiol. Nid yw 'Yn tywys y pentewyn', er ei bod yn llinell unigol dda, ac er ei bod yn cymryd ei lle yn naturiol yn yr englyn, yn ddigon cryf i fod yn llinell glo. Yn englyn Tîm Talwrn Gweddill Cymru, yr ail fersiwn yw'r gorau, gan mai holl bwynt yr englyn yw nodi mai'r plant hyn yw dyfodol Cymru, a'r plant hyn felly yw ein 'goroesiad'. Hyn sy'n bwysig. Hynny yw, nid y lleoliad sy'n bwysig ('Ar grindir ein hir barhad') ond y digwyddiad ('Yn rhoi ias i'n goroesiad'). Yn englyn Idris Reynolds, 'A'r Gymraeg ei muriau hi' yw'r llinell glo, yn naturiol, gan mai carcharor dros yr iaith yw Ffred Ffransis yn yr englyn, a'r Gymraeg sy'n bwysig yn y cyswllt hwn, nid ein hanes. Ac yn englyn Gwynn ap Gwilym, yr ail fersiwn yw'r gorau, sef fersiwn gwreiddiol y bardd ei hun. Fel yn achos englyn Idris Reynolds, rhaid cloi'r englyn gyda'r llinell allweddol 'Angau amrwd fy Nghymru', er bod y tri fersiwn yn gwneud synnwyr. Ond rhaid dewis y fersiwn gorau bob tro.

Dylai'r llinell olaf fod yn uchafbwynt; dylai gloi'r englyn yn berffaith ac yn derfynol. Dylai pob englyn arwain at y llinell olaf, ond nid er mwyn cyflwyno llinell glo rymus ar draul gweddill yr englyn, yn union fel y mae englyn Gerallt Lloyd Owen er cof am Edwin Pritchard yn arwain at uchafbwynt yn y llinell olaf:

Ni fynnai nef wahanol; Eifionydd
 A fynnai'n wastadol,
  Ac yma ynghwsg mae yng nghôl
 Eifionydd yn derfynol.

Yr hanfod olaf yw angerdd teimlad. Dyma rywbeth na ellir ei ddisgrifio na'i ddiffinio na'i ddadansoddi, dim ond ei deimlo. Dyma dri englyn adnabyddus a phob un ohonyn nhw yn llawn

angerdd, ond cofier mai angerdd dan ddisgyblaeth lem y gyng-
hanedd a geir ynddyn nhw, a'r ddisgyblaeth honno yn rhwymo'r
angerdd yn dynn yn hytrach na gadael iddo redeg yn sentimental-
aidd wyllt ac afreolus. Dyma englyn Tommy (neu Tomi) Price
er cof am ei fam:

> Yn fyw iawn yn fy nghof i – er y bedd,
>   A thra bwyf y byddi;
>   'Does dim yn gyfan imi
>   Yn y byd hwn hebot ti.

A dyma englyn Goronwy Owen er cof am ei ferch Elin:

> Mae cystudd rhy brudd i'm bron, – 'rhyd f'wyneb
>   Rhed afonydd heilltion;
>   Collais Elin, liw hinon,
>   Fy ngeneth oleubleth lon.

Dychmyger am eiliad fod Goronwy Owen wedi llunio englyn
i'w ferch Elin pan oedd yn fyw a bod y llinell olaf uchod, 'Fy
ngeneth oleubleth lon', yn ddiweddglo i'r englyn hwnnw, neu
dychmyger mai llinell glo mewn englyn serch yw hi, yna, llinell
ddisgrifiadol hyfryd yw hi. Ond llinell ryfeddol o drist a thor-
calonnus yw hi yn yr englyn marwnad gwreiddiol, oherwydd
mae'n pwysleisio'r harddwch, y diniweidrwydd a'r llawenydd a
gollwyd. Nid gwybod ymhle i leoli llinellau yn unig sy'n bwysig,
ond sylweddoli hefyd y gall yr un llinellau yn union fod yn gryfach
o'u gosod mewn cyd-destunau gwahanol.

A dyma englyn Robert ap Gwilym Ddu yntau i'w ferch Jane
Elizabeth:

> Ymholais, crwydrais mewn cri, – och alar!
>   Hir chwiliais amdani:
>   Chwilio'r celloedd oedd eiddi,
>   A chwilio heb ei chael hi.

Dyna alar mawr wedi ei fynegi'n gynnil ac yn ingol gofiadwy ar ffurf englyn a thrwy gyfrwng y gynghanedd.

I gloi'r bennod hon, dyma ofynion englyn da yn ôl R. Williams Parry – a hefyd, rhai pethau y dylid eu hosgoi:

Gorchest anodd yw saernïo englyn celfydd. Camp englyn yw dehongli'r testun fel ag i argyhoeddi'r darllenydd, nid yn unig na chanwyd cystal arno erioed o'r blaen, ond na chenir byth yn well: hynny yw, dylai'r englynwr greu i feddwl neu syniad gorff a fyddo'n deml dragwyddol iddo. Rhaid i'r deml hon wrth waith gonest a defnyddiau gonest i fedru gwrthsefyll traul amser a chyfnewidiad. Arwyddion sicraf gwaith sâl ar englyn yw geiriau llanw, ymadroddion geiriadurol, termau diafael, ac ansoddeiriau di-waed. Godidowgrwydd englyn yw ei undod, ei symlrwydd, a'i ergyd.

Pennod 3

Gwahanol Fathau o Englynion
a Gwahanol Batrymau

MEDDAI T. GWYNN JONES am yr englyn, wrth feirniadu cystad-
leuaeth yr englyn yn Eisteddfod Genedlaethol Rhydaman ym
1922: 'Gan mai pennill bychan yw, y mae dau brif ddull o geisio'i
drin, naill ai ei lunio o res o gymariaethau, neu ynteu ddodi
ynddo un syniad cryno'. Fel enghraifft o'r dull cyntaf mae'n
dyfynnu englyn enwog Eifion Wyn, 'Blodau'r Grug':

> Tlws eu tw, liaws tawel, – gemau teg
> Gwmwd haul ac awel,
> Crog glychau'r creigle uchel,
> Fflur y main, ffiolau'r mêl.

Ac fel enghraifft o'r ail ddull, dyfynna englyn adnabyddus Tudur
Aled:

> Mae'n wir y gwelir argoelyn – difai
> Wrth dyfiad y brigyn;
> A hysbys y dengys dyn
> O ba radd y bo'i wreiddyn.

Wrth feirniadu cystadleuaeth yr englyn yn Eisteddfod Gen-
edlaethol Lerpwl, 1929, dyfynnwyd y ddau englyn gorau yn y

gystadleuaeth gan y beirniad, J. J. Williams. Y testun oedd 'Yr Helygen', a hwn oedd yr englyn cyntaf a ddyfynnwyd, eiddo *Cysgod y Graig* (sef, mewn gwirionedd, Lewis Davies, Y Cymer):

> Oer leianwen torlennydd, – yn ei chrwm,
> Laith ei chrimog beunydd;
> Cares cyrs, ancres corsydd,
> Eiliw gwae, Rahel y gwŷdd.

Meddai J. J. Williams: 'Mabwysiadodd *Cysgod y Graig* ddull Eifion Wyn gyda "Blodau'r Grug," sef lluosogi cymariaethau. Yn ei ddwy linell gyntaf glŷn wrth gymhariaeth y "lleianwen." Ymedy â'r syniad hwnnw o hynny i'r diwedd, a chyffelyba'r Helygen i "gares," "ancres," "eil[i]w" a "Rahel." ' Ond hwn yw'r englyn a wobrwywyd, o waith Ifano Jones:

> Naiad ŵyl glyn a dyli, – gwerdd ei gwisg,
> Hardd ei gwedd, yn oedi
> Uwch ei llun yn nrych y lli,
> A'i nwyd trist yn hud trosti.

Ac meddai J. J. Williams: 'Dewisodd *Du'r Bilwg* ddull Wil Ifan yn ei englyn i Englyn, sef glynu'n dynn wrth yr un gymhariaeth o'r dechrau i'r diwedd. Y Naiad – duwies yr afonydd – sydd yn y "glyn" a cher y "dyli," hi sydd yn "werdd ei gwisg" ac yn "hardd ei gwedd," hi drachefn sy'n edrych ar ei llun yn y lli, ac o'i chalon hi y cyfyd y tristwch a welir arni'.

T. Gwynn Jones, mewn gwirionedd, a wobrwyodd englyn Wil Ifan i'r 'Englyn' yn Eisteddfod Genedlaethol Caergybi, 1927. Hwn oedd yr englyn buddugol, englyn ac ynddo un ddelwedd gynaledig, a honno'n ddelwedd drawiadol iawn, er bod geirfa'r englyn buddugol braidd yn orfarddonol hen-ffasiwn erbyn hyn (ystyr 'edn glwys' yw 'aderyn hardd', a gair mawr gan Ramantwyr Cymraeg dau ddegawd cyntaf yr ugeinfed ganrif oedd

51

'glwys', gair treuliedig, ystrydebol bellach, a gair treuliedig ym
1927 hefyd):

Cywreiniaf gawell cryno – a rhyw *hedd*
Gwell na rhyddid ynddo.
Yr edn glwys roir dan ei glo
Ni thau er ei gaethiwo.

'Cyffredin, er nad amhriodol, yn englyn *Aled* [Wil Ifan] yw'r
tarawiad "Cywreiniaf: cryno," ond y mae undod a chysondeb yn
ei syniad, sy'n atgoffa dyn am un epigram Groeg,' meddai T.
Gwynn Jones wrth feirniadu'r gystadleuaeth. Sôn am undod a
chysondeb delweddol yr englyn yr oedd T. Gwynn Jones, ond fe
nodir yma bedwar o brif ofynion yr englyn fel mesur: cywreinder,
cynildeb, undod a chysondeb. Yr ail yn y gystadleuaeth oedd
William Morris, yntau hefyd wedi sicrhau undod a chysondeb
delweddol i'w englyn:

Blwch bach ceindlws ei drwsiad, – gemau'r iaith
Gymraeg dan ei gaead;
Hithau'r Awen o'i throad
Yn sŵn ei glo'n swyno gwlad.

'Y mae undod a chysondeb hefyd yn englyn *Simwnt* [William
Morris], ond nid yw'r syniad mor wreiddiol ag eiddo *Aled*, a
buasai well gennyf y ffurf "tlws" na "cheindlws",' meddai T.
Gwynn Jones. Roedd greddf T. Gwynn Jones yn iawn. Dau air
cyfystyr yw 'cain' a 'tlws'. Gan dderbyn awgrym y beirniad,
newidiodd William Morris linell gyntaf ei englyn yn ddiwedd-
arach, a newidiodd hefyd 'o'i throad' yn 'â'i throad' yn y drydedd
linell, newid bychan, ond newid er gwell yn sicr, a chyda mesur
mor fychan â'r englyn, mae'n rhaid cael hyd yn oed y manylion
lleiaf yn iawn. Dyma fersiwn terfynol englyn William Morris:

Blwch-drysor balch ei drwsiad, – gemau'r iaith
    Gymraeg dan ei gaead;
    Hithau'r Awen â'i throad
    Yn sŵn ei glo'n swyno gwlad.

Dyma ragor o enghreifftiau o'r ddau ddull hyn o greu englyn-
ion, gan ddechrau gydag englyn Rolant Jones (Rolant o Fôn),
'Ewyn', sy'n enghraifft dda o lynu'n dynn wrth un ddelwedd yn
unig:

    Duw'r môr wrth grwydro marian – a rannodd
      Odre'i wenwisg sidan
      I dorri'n edau arian
      Ar wely oer creigiau'r lan.

Bardd a oedd yn feistr ar y math yma o englyn-un-ddelwedd
oedd T. Arfon Williams. Dyma rai enghreifftiau o englynion o'r
math hwn ganddo:

HAF BACH MIHANGEL

    Paid bwrw heibio bob gobaith, – cei, hwyrach,
      y cariad aeth ymaith
      o'r wlad gyda llygad llaith
      yn ôl i wenu eilwaith.

ADDUNED BLWYDDYN NEWYDD

    Y baban na fu'i lanach – a anwyd
      yn Ionor yn holliach
      a lorir fel hen gleiriach
      o eisiau bwyd ym Mis Bach.

TRAETH

Nid rhywsut y gwnaed y trysor; eurof
y lloer a fu'n ddidor
drwy'r oesau'n cabol drwsio'r
ffrâm aur am saffir y môr.

A dyma enghraifft arall o'r math hwn o englyn:

SIGL-EI-GWT

Hwsmon cyson ei ffonnod – ar y gyr,
A'i gorff yn llawn cryndod;
Diwyd iawn ei fynd a dod
Yw'r bychan yrrwr buchod.

Dafydd Williams

Mae'r englynion canlynol i gyd yn defnyddio'r dechneg hon o restru neu bentyrru neu lunio rhes o gymariaethau:

Y SÊR

Dysglau arian disgleirwych, – neu flodau
Fel adar yr entrych;
Tarianau aur tirionwych,
Meillion nef – mae'u lliw yn wych.

Siôn Powel

GWRID

Goch y gwin, wyd degwch gwedd, – ton y gwaed,
Ystaen gwg a chamwedd;
Morwynol fflam rhianedd,
Swyn y byw, rhosyn y bedd.

Eifion Wyn

Y Nos

Y nos dywell yn distewi, – caddug
Yn cuddio Eryri,
Yr haul yng ngwely'r heli,
A'r lloer yn ariannu'r lli.

Gwallter Mechain

Mae pob llinell yn yr englyn hwn yn pwysleisio'r ffaith mai nos ydyw.

Hydref yn Arfon

Haul ar Fôn, hwyl ar Fenai, – ing hiraeth
Yng nghyrion y deildai,
Eiliw'r oerfel ar Wyrfai,
A'r gwynt a rwyg ewyn trai.

J. E. Thomas

Gwahanol ddarluniau o'r hydref ym myd natur a geir yn yr englyn hwn, a'r lleoedd a enwir ynddo hefyd yn rhan o'r 'rhestru'.

Haf Gŵyl Mihangel

Ar drofan oer hydrefoes – wele wên
Ffarwél haf rhwng dwyoes;
Rhyw fwyn awr cyn terfyn oes,
Diddanwch diwedd einioes.

L. T. Evans

Yn yr englyn hwn, mae'r Haf Gŵyl Mihangel, neu'r Haf Bach Mihangel, yn nodi'r ffin, y drofa neu'r drofan, rhwng haf a hydref, 'rhwng dwyoes'. Mae'r englyn wedi ei adeiladu yn gelfydd. Ceir elfennau dymunol ar y naill law, ond mae'r holl bethau dymunol, hyfryd hyn ar fin diflannu a darfod, gyda dyfodiad yr hydref, a'r gaeaf yn ei ddilyn:

[g]wên:	Ffarwél haf
Rhyw fwyn awr:	cyn terfyn oes
Diddanwch:	diwedd einioes

Ceir cyfochredd cystrawennol perffaith yn yr esgyll.

Ac nid am 'Haf Gŵyl Mihangel' yn unig y mae'r englyn yn sôn. Mae'n englyn am fywyd dyn ar y ddaear, a sôn y mae am fwynderau canol oed neu henaint, mewn gwirionedd, y dedwyddwch a'r diddanwch sy'n dod ar derfyn oes, a'r gŵr canol oed bellach yn hydref ei einioes, a 'rhwng dwyoes', sef rhwng ei fuchedd ddaearol a'i fuchedd ysbrydol, ei ail einioes.

Y BARRUG

Lleidr y glas, llwydwr y glyn, – a dofwr
    Dihafal aderyn;
      Dilëwr oes dail yr ynn
    A rhydwr brig y rhedyn.

Ben Jones

Yma disgrifir y barrug fel rhywbeth sy'n difa popeth dymunol ym myd natur, fel hyn:

lleidr:	y glas
llwydwr:	y glyn
dofwr:	aderyn
dilëwr:	dail yr ynn
rhydwr:	y rhedyn.

Y DDERWEN

Ir lydan deyrn coedlannau, – her hefyd
I'r canrifoedd hwythau;
Byw gofeb ei gaeafau,
Barwn o bren i barhau.

Tomi Evans

Rhestrir yma nifer o bethau sy'n cyfleu cryfder a hirhoedledd y dderwen, gyda '[t]eyrn coedlannau' a 'Barwn o bren' yn rhoi undod i'r englyn.

LLIWIAU'R HYDREF

Gwrid y rhos ar frigau'r drain, – dail y coed
O liw cefn yr elain;
Y mieri'n aur mirain,
A'r perthi'n goelcerthi cain.

J. J. Williams

Mae'r englyn hwn yn dwyllodrus o syml o ran ei adeiladwaith. Nodir bod lliwiau tanllyd yr hydref ar bedwar peth gwahanol ym myd natur:

brigau'r drain:	gwrid y rhos
dail y coed:	lliw cefn yr elain
mieri:	aur mirain
perthi:	coelcerthi (lliw fflamau tân)

Yn ogystal â dilyn yr un patrwm â dosbarth 'Blodau'r Grug' o englynion, mae'r englyn canlynol yn creu ac yn sicrhau undod trwy gyfochri ac ailadrodd (''deryn strae . . . yn llugoer'; 'Lleian lwys . . . [yn] lasoer'; 'Gwylan wen yn . . . oer'):

GWYLAN FARW

Du ei phig gan waed a phoer, – 'deryn strae
Yn y stryd yn llugoer;
Lleian lwys y lli'n lasoer,
Gwylan wen yn gelain oer.

J. Arnold Jones

Ar ben hynny, mae'r odlau ('llugoer', 'lasoer', 'oer') a'r gwrth-daro a geir rhwng lliwiau ('Du', coch ('waed'), '*las*oer', 'Gwylan *wen*') hefyd yn rhoi undod i'r englyn.

Fodd bynnag, ceir mwy na dau brif ddull o geisio trin mesur yr englyn. Mae yna nifer o ddulliau neu batrymau y gellid eu dilyn, ac at y gwahanol batrymau hyn y trown yn awr.

(1) *Englynion lle ceir cyferbyniad rhwng y drydedd a'r bedwaredd linell*

Ar ôl sefydlu gwrthrych neu destun yr englyn, cyflwynir dwy wedd wrthgyferbyniol ar y gwrthrych neu'r testun hwnnw, er enghraifft, englyn Alun R. Williams, 'Y Llwybr':

Cam a chul mewn cwm a choed – yn y fro,
Ac ar fryn i'm deutroed;
Ar hwn y rhedwn i'r oed,
Ar hwn yr oeda'r henoed.

Mae'r englynion canlynol yn dilyn yr un egwyddor:

Y CROWLWM
(Ger Llanidloes, man cychwyn
yr Ysgol Sul yng Nghymru)

Golau gwan dy ffagl gynnar – a ledodd
Dros y wlad, a gwasgar

Y rhin a wnaeth yr anwar
Anhydrin yn werin wâr.

O. Tudor Jones

28 CHWEFROR, 1986

Ydyw, y mae fy naear – yn erwin,
   Yn oer ac aflafar:
   Gweunydd cyntefig anwar,
   Ond gweunydd tragywydd gwâr.

Donald Evans

ER COF AM WERINWR
(John Jones, Blaen-cwm, Cynllwyd)

O groth y ddaear greithiog – y'i bwriwyd
   Ar y Berwyn 'sgithrog;
   Caled oedd fel clwydi og,
   A mwyn fel gofer mawnog.

Geraint Bowen

(2) *Englynion lle ceir cyferbyniad yn y llinell olaf yn unig*

Dyma rai enghreifftiau:

LLYS IFOR HAEL

Llys Ifor Hael, gwael yw'r gwedd, – yn garnau
   Mewn gwerni mae'n gorwedd;
   Drain ac ysgall mall a'i medd,
   Mieri lle bu mawredd.

Ieuan Fardd

DYN CECRUS

Ei fyd yw creu amheuon, – a dwyn pawb
    I 'dân poeth' yn gyson;
    Yn dyn â'i frad yn ei fron
    A wna fynydd o fanion.

Iorwerth Jones

DYN

Gall, fel y myn ysgallen flodeuo,
    Fel dyhead heulwen
    Am law, yr un mor llawen
    Dollti gwaed a lledu gwên.

Rhys Dafis

(3) *Englynion lle ceir cyferbyniad rhwng y paladr a'r esgyll*

Mae'r patrwm hwn yn un gweddol gyffredin, ac mae'n hynod o effeithiol hefyd. Dyma rai enghreifftiau:

HARRY PATCH

*(Y milwr Rhyfel Mawr olaf, a fu farw
yn 111 oed ym mis Gorffennaf 2009)*

Yn iach, â chwiban uchel, – yr est ti
    I'r storm dros y gorwel;
    Dŵad yn ôl yn dawel
    A sôn dim am Basiondêl.

Twm Morys

Ceir cyferbynnu yma rhwng y cyffro a'r hyder ('â chwiban uchel') a geir yn y llinell gyntaf a'r diffyg hyder a'r dadrith, y siom a'r gwewyr mewnol a geir yn y drydedd linell ('yn dawel') a'r bedwaredd linell

('A sôn dim'); ceir cyferbynnu hefyd rhwng mynd ('yr est ti') a dod yn ôl, dychwelyd ('Dŵad yn ôl'). Mae holl stori Harry Patch, yr olaf o holl filwyr y Rhyfel Mawr, yn yr englyn hwn. Aeth i'r rhyfel yn llawn dewrder, brafado a hyder, ond daeth yn ôl wedi newid yn llwyr, ac ni allai sôn dim am y rhyfel, gan mor ddirdynnol fu'r profiad o ryfela iddo.

Dyma enghraifft arall:

Y CEFFYL BLAEN

Hen nag sy'n hoff o nogio, – 'thyn o byth
    Yn y bôn, ond cicio;
    Yn y blaen nid yw'n blino,
    Tyn yn ddarnau fryniau'r fro.

Anhysbys

Hen englyn yw hwn, englyn gwerinol ei naws, a chyflwynir ynddo ddwy agwedd neu ddwy olwg ar y ceffyl blaen, ei amharodrwydd i weithio yn 'y bôn' yn y paladr a'i barodrwydd i weithio yn y blaen yn yr esgyll.

Mae'r englyn canlynol yn dilyn yr un patrwm:

ANN GRIFFITHS

Neidio rhag penllanw'r Duwdod – a wnaf
    rhag ofn ei adnabod,
    ond Ann, â'r ymchwydd yn dod,
    a foddodd mewn rhyfeddod.

T. Arfon Williams

Ceir yma gyferbyniad rhwng amharodrwydd y bardd i ymgolli yn Nuw ac awydd angerddol Ann Griffiths, yr emynyddes, i brofi cymundeb â Duw a boddi mewn rhyfeddod (gair mawr Ann) wrth ymgolli yn y Duwdod. Mae 'penllanw', 'ymchwydd' (ymchwydd y don) a'r syniad o foddi yn rhoi undod i'r englyn, yn ogystal â'r cyferbynnu a geir ynddo.

Dyma enghraifft arall, gan yr un bardd, sef ei englyn 'Amlenni':

> Y Wen, agoraf hi'n union ag awch
> am gael y cyfarchion;
> Y Lwyd sy'n dwyn 'nyledion –
> gohirio 'rwyf agor hon.

T. Arfon Williams yw awdur yr enghraifft ganlynol hefyd:

DERWEN YR HYDREF

> Chwithig gweld pendefiges – fu'n yr haf
> yn rhwysg o unbennes
> yn yr hydre'n ddirodres;
> 'nawr y moch a bawr ei mes.

A dyma englyn arall ar yr un testun, ond un sy'n dra gwahanol o ran cynnwys:

Y DDERWEN

> Ym mis Ionawr mae'n gawres – yn herio'r
> Ddrycin hir â rhodres;
> Yn y gwanwyn mae'n gynnes
> Â gwên mam yn geni mes.

Donald Evans

Ac mae'r englyn enwog canlynol yn dilyn yr un patrwm yn union:

Y RHOSYN A'R GRUG

> I'r teg ros rhoir tŷ grisial – i fagu
> Pendefigaeth feddal;

I'r grug dewr y graig a dâl –
Noeth weriniaeth yr anial.

Pedrog

Pedrog biau'r enghraifft ganlynol hefyd:

COED NANHORON

Yma'r awn ym more oed – yn llawen
 Â lliaws o'm cyfoed;
Fy hun yn oedfa henoed
Mor unig im yw'r hen goed.

Yn yr englyn hwn ceir cyferbynnu rhwng 'ym more oed' a 'hen-oed', rhwng 'llawen' ac 'unig', rhwng 'cyfoed' a 'henoed', a rhwng 'lliaws' a 'Fy hun'.

Yn aml iawn, ceir y gair 'ond' ar ddechrau'r drydedd linell yn y math hwn o englyn, er enghraifft 'Ann Griffiths' gan T. Arfon Williams uchod, a'r 'ond' hwnnw yn dynodi'r trobwynt. Dyma enghreifftiau eraill:

BEDDARGRAFF

Yn y bedd gorwedd a gaf – yn isel,
 Hir nos a ddaeth arnaf,
Ond ni dderfydd hirddydd haf
Dinoswyl y byd nesaf.

Anhysbys

DOETH AC ANNOETH

Mae siarad, bob amserau, – â rhai doeth
 Yn rhoi dysg i'n pennau;
Ond â ffyliaid, giwaid gau,
Tewi siarad sy' orau.

Ioan Deudraeth

AR FEDD ISAAC DAVIES
(Brodor o Faldwyn a drigai yn Nhrawsfynydd)

Ei enaid o Feirionnydd – a giliodd
I'r golau na dderfydd;
Ond darn mwyn o Faldwyn fydd
Is ei faen yn Nhrawsfynydd.

Iorwerth H. Lloyd

ER COF AM Y PARCH. T. R. LLOYD

Rhoed yma'r corff i orffwys – wedi ing
Hyd angau, dan oergwys,
Ond mwynder y dewrder dwys
A roed i dir Paradwys.

Anhysbys

DYSGEDIGION (2)

I Borth y Gest a'i brith gôr – o wylain
Ni ddychwela'i brodor;
Ond aros mae dros y môr
Tragywydd-lonydd lenor.

R. Williams Parry

GWYNDAF

Angerddol oedd bodolaeth; – yn y gair
A'r gân roedd hudoliaeth,
Ond yn awr adnabod wnaeth
Dawelwch anfodolaeth.

Geraint Bowen

ER COF AM O. M. LLOYD

Mae hi'n braf yma'n y Brifwyl, – a llond
Pabell Lên yn disgwyl,
ond mynnaist, O. M. annwyl,
gyfeillach amgenach gŵyl.

T. Arfon Williams

Y BRAIN

Hen adar bras ydyw'r brain, – adar gwawd,
Adar gwyllt, amhersain;
Ond er mor ddu a thruain,
Ei adar Ef ydyw'r rhain.

Robin Gwyndaf

Y GOG

Dwyn hyder â dau nodyn – nid yw'n hawdd
Hyd yn oed i delyn,
Ond hen arfer aderyn
Fo gennad haf yw gwneud hyn.

John Penry Jones

Y GŴR MOEL

Heblaw am ryw un blewyn – ar ei ben,
Y mae'r boi fel nionyn,
Ond cenfigen mae'n ennyn
Yn y brawd sydd heb yr un.

Anhysbys

MICHAEL COLLINS

Gwelodd fwledi'r gelyn – a'u hosgoi
Ar y sgwâr yn Nulyn,
Ond daeth un fwled wedyn
O blith ei bobl ei hun.

John Glyn Jones

(4) *Englynion lle mae'r esgyll yn ategu'r hyn a ddywedir yn y paladr*

Hynny yw, mae'r esgyll yn parhau ac yn pwysleisio'r hyn a ddywedir yn y paladr, er enghraifft:

T. ROWLAND HUGHES

Pwy y gŵr piau goron – ei henwlad
Wedi anlwc greulon?
A phwy o Fynwy i Fôn
Yw'r dewra' o'i hawduron?

R. Williams Parry

Dioddefodd T. Rowland Hughes (1903-1949), y bardd a'r nofelydd, oddi wrth afiechyd creulon a'i cyfyngodd i gadair olwyn am flynyddoedd cyn iddo farw, a hynny cyn cyrraedd ei hanner cant oed. O 1937 hyd at 1945 bu'n gweithio fel cynhyrchydd rhaglenni nodwedd gyda'r BBC, ac er iddo ddechrau clafychu ym 1937, mynnodd aros yn ei swydd hyd at 1945. Gofyn dau gwestiwn a wneir yma, ac fe wyddom beth yw'r ateb i'r ddau fel ei gilydd. Ategu neu bwysleisio'r hyn a ddywedir yn y paladr a wneir yn yr esgyll, hynny yw, T. Rowland Hughes biau goron ei wlad a T. Rowland Hughes yw'r dewraf o awduron ei wlad, 'o Fynwy i Fôn'.

Dyma enghraifft arall:

CRIST

I Fair ni roddaf eiriau – uchel iawn,
Ei chlod yw'r cadachau;
Y Brenin ar ei gliniau,
Efô yw'r un i'w fawrhau.

O. M. Lloyd

Cadarnhau'r hyn a ddywedir yn y paladr a wneir yn yr esgyll.

(5) *Englynion lle mae'r tair llinell gyntaf yn dilyn yr un trywydd cyn cyflwyno rhywbeth hollol wahanol yn y llinell olaf*

Mae'r englyn canlynol, o waith Trefor Jones, yn enghraifft amlwg o'r math hwn o batrwm:

LLWYD O'R BRYN

Ei fyd oedd eisteddfode, – a'i orchest
Oedd gwarchod y Pethe;
Gwron yr ymrysone,
Mae'n chwith. Pwy lenwith ei le?

Diddordebau diwylliannol Llwyd o'r Bryn – eisteddfodau, y Pethe, ymrysonau – sy'n rhoi undod i'r tair llinell gyntaf. Ond nid diddordebau ysgafn, ysbeidiol, arwynebol oeddent. Y pethau hyn oedd ei fyd, ac roedd yn gwarchod y pethau hyn yn angerddol, yn ddewr ac yn gadarn ddi-ildio ('Gwron yr ymrysone'). Ar ôl pwysleisio cymaint o gawr oedd y gŵr hwn, daw'r llinell olaf fel sioc. Pwy fyth a all lenwi'r bwlch enfawr a adawyd gan y fath gawr?

Mae'r englyn canlynol hefyd yn dilyn yr un patrwm â'r englyn uchod, 'Y Rhosyn Gwyllt' gan Mathonwy Hughes:

Y gwyleiddiaf ar gloddiau, – llon ei drem
    Mewn llwyn drain tan berlau;
    Aroglus ei firaglau,
    Byr yw ei oes, rosyn brau.

Ar ôl rhestru nodweddion dymunol y rhosyn yn y tair llinell gyntaf, a disgrifio'i harddwch, mae'r llinell olaf yn datgan mai gwywo a marw a wna'r rhosyn hardd hwn yn y pen draw – prydferthwch darfodedig a hud byrhoedlog ydyw yn ei hanfod.

Dyma enghraifft arall o englyn ac iddo ddiweddglo annisgwyl neu dro yn y gynffon, 'Creyr Glas', Gerallt Lloyd Owen:

    Er oedi fel ymprydiwr yn yr hesg
      Ar osgo gweddïwr
      Nid oes uwch tangnef y dŵr
      Ond myfyrdod am fwrdwr.

Mae'r tair llinell gyntaf yn creu darlun neu ddelwedd o sant neu fynach neu ŵr crefyddol yn ymprydio, fel y bydd rhai yn ymprydio yn ystod gwyliau crefyddol, ac yn gweddïo, ac fe wna hynny 'uwch tangnef y dŵr', yn dangnefeddus dawel a dedwydd, gan gofio hefyd fod i ddŵr, ac i afonydd yn benodol, arwyddocâd symbolaidd arbennig mewn rhai crefyddau. Ac wedyn fe ddaw'r llinell olaf fel sioc inni. Ac nid sant na mynach na gŵr crefyddol yw'r creyr glas mewn gwirionedd ond llofrudd.

Dyma enghraifft arall:

ER COF AM MAM

    Er bod y fro'n fflachio'n fflam – y gwanwyn,
      Ac oenig ar garlam,
      A'r cyfan yn dân dinam,
      Heno mae yn oer heb Mam.

Donald Evans

Yn y math hwn o englyn, ceir y trobwynt yn aml ar ganol y drydedd linell, gyda'r gair 'ond' yn dynodi'r trobwynt hwnnw, er enghraifft:

Y GWYNT

Gwae y fedwen pan gyfodo, – gwae'r môr,
Mae grym aruthr ynddo;
Y cawr yw, ond mae'n crio
Yn null clown yn nhwll y clo.

Roger Jones

Disgrifio grym aruthrol y gwynt a wneir hyd at 'Y cawr yw . . .' yn y drydedd linell, ac wedyn, ar ôl 'ond', cawn ddarlun hollol wahanol, hollol wrthgyferbyniol, ohono yn crio fel clown 'yn nhwll y clo' – y cawr nerthol yn wylo.

Ceir yr un patrwm yn englyn T. Arfon Williams, 'Gwe Pry' Cop':

Hyfryd yw gweled ei hofran herciog;
mae fel barcut tegan
i mi, ond i'r pryfed mân
arswydus yw'r we sidan.

Dwy wedd ar y we a geir yma, gydag 'ond' yn dynodi'r trobwynt, ac mae'r ansoddeiriau 'Hyfryd' ac 'arswydus' yn cyferbynnu â'i gilydd, yn union fel mae 'arswydus' a'r 'we sidan' yn cyferbynnu â'i gilydd.

A dyma ddwy enghraifft arall:

BLODYN DANT-Y-LLEW YM MAI

Nid oedd ar fysedd meddal hen wragedd
Darogan yr anial

69

Un dim, ond maent heddiw'n dal,
Yn un rhes, belen risial.

Alan Llwyd

GILBERT RUDDOCK

Ni welai ddim drwy niwloedd y byd hwn;
    Byd diwyneb ydoedd
O darth, ond tystiai'i werthoedd
Nad dall i fyd arall oedd.

Alan Llwyd

(6) *Englynion lle mae'r bedwaredd linell yn ategu'r hyn a ddywedir
    yn y drydedd linell, ar ôl i'r ddwy linell gyntaf gyflwyno'r testun
    neu'r gwrthrych*

Dyma enghreifftiau:

MES

Ni thyfai derwgoed coedwig – oni bai'r
    rhai bach gostyngedig;
y drom mewn mymryn a drig,
a chadarn mewn ychydig.

T. Arfon Williams

ADERYN CLWYFEDIG

Er ein nawdd, mor anniddig – y gwingai
    Heb ei gangen lasfrig:
Y fraich ni fynnai yn frig,
Na'r un gadair yn goedwig.

J. Arnold Jones

(7) *Englynion lle ceir plethu delweddau o ddau fyd gwahanol*

Mae englyn Emrys Roberts, 'Y Babell Lên', yn enghraifft berffaith o'r math hwn o englyn:

> Diwylliant pob ystyllen – ohoni,
> Camp llenor pob hoelen;
> Rhan o'i haearn yw awen
> A phŵer iaith yw ei phren.

Cydblethir yma eiriau sy'n ymwneud â diwylliant a barddoniaeth, ar y naill law ('Diwylliant', 'Camp llenor', 'awen', '[p]ŵer iaith'), gyda geiriau sy'n ymwneud ag adeiladu ('ystyllen', 'hoelen', 'haearn', 'pren'), ar y llaw arall.

A dyma enghraifft arall:

CONAMARA

(yn Iwerddon)

> Gemau yw'r mawn a'r gwymon, – meini nadd
> Yw'r mynyddoedd llwydion,
> Arian tawdd yw'r ewyn ton
> Ac aur yw'r traethau geirwon.

Geraint Bowen

(8) *Englynion lle ceir dau osodiad gwahanol am yr un gwrthrych yn y paladr a'r esgyll*

Mae englyn Dewi Emrys, 'Y Gwlithyn', yn enghraifft amlwg o'r math hwn o englyn:

> Fe ganna dwf y gweunydd, – rhoi gemwaith
> Ar gymoedd a mynydd;
> Daw i'r ardd gyda'r hwyrddydd
> A gado'r dail gyda'r dydd.

A dyma un arall:

MAI

Deuwch, wŷr blin y ddinas, – yma i weld
Mis Mai yn ei urddas;
Gwelwch ei glir glychau glas
Yn filoedd hyd y foelas.

Tom Bowen Jones

(9) *Englynion un frawddeg*

Englyn tebyg i'r un y ceir ynddo un ddelwedd gron yw'r math hwn o englyn, ac englyn heb ynddo atalnodi yn aml, er enghraifft:

GRAS

Ni fydd mewn gelltydd gwylltion – afalau
Neu felys bêr aeron,
Na daioni mewn dynion
Oni bai ras yn eu bron.

Ieuan Fardd

DEWIS

Gwell i ŵr hur wrth lafurio – 'n wasaidd
I'r isaf taeogion
Na'i roi tan y ddaear hon
Yn ymherawdr y meirwon.

Gwenallt

RUTH

Enw Ruth fo mewn aur weithian – yn hanes
Ffyddloniaid y winllan

Am roi y ddigymar Ann
Ar gof i Gymru gyfan.

Ronald Griffith

DUN NA NGALL
(Hydref 1980)

Enfys y gorllewinfor – anwesai
Ynysoedd y goror
Un noswaith berffaith, borffor
A thi a mi wrth y môr.

Geraint Bowen

MAIR

Er y wefr o siglo'i grud yn annwyl
mae eneiniad enbyd
ar orchwyl gwyry a werchyd
y Bachgen sy'n berchen byd.

T. Arfon Williams

(10) *Englynion lle ceir gwrthgyferbynnu rhwng y llinell gyntaf a'r llinell olaf, gan droi'r hyn a ddywedir yn y llinell gyntaf yn rhywbeth hollol wahanol, cyferbyniol i'r llinell gyntaf, erbyn cyrraedd y llinell olaf*

Dyma enghreifftiau o'r math hwn o englyn:

DYDDIADUR

Y forwyn ddileferydd – ar eni
Gwirionedd o'r newydd
A dry'n sydyn, derfyn dydd,
Yn fydwraig go dafodrydd.

Idris Reynolds

LLŶN: 1988

Anhygyrch o Seisnigaidd – yw'n tir hoff
Lle ceid tras werinaidd
Mor dynn â'r rhwymyn ar haidd,
Mor agos o Gymreigaidd.

Alan Llwyd

CLEFYD Y SUL

Fore Sul efe yw'r sala' – o bawb,
A'r nawn bydd 'rhyw bethma';
Hwyr y dydd 'dim hanner da' –
Fore Llun ef yw'r llonna'.

Iestyn

Englynion paradocsaidd

Math arall o englyn yw'r englyn sy'n cynnwys paradocs, weithiau
drwy'r englyn, o'i ddechrau i'w ddiwedd, ac weithiau yn y llinell
olaf yn unig.

Gosodwyd yr englyn canlynol, ar y testun 'Yr Hirlwm', yn
uchel gan y beirniad Edgar Phillips (Trefîn) yng nghystadleuaeth
yr englyn yn Eisteddfod Genedlaethol Dolgellau ym 1949, ac
mae'n englyn sy'n llawn o baradocsau:

Ei wanwyn sy'n wae gaeaf – a'i wywdra
Fel yr Hydref trymaf;
Marw hir yw ei dymor Haf –
Newyn yw ei gynhaeaf.

Yn englyn Rhydwen Williams, 'Waldo Williams (adeg ei garch-
ariad)', ceir llinell olaf baradocsaidd gref:

74

Bardd hyder a breuddwydion, – a'i urddas
A'i harddwch mewn cyffion;
Mawr yw'r gŵr, yn enw'r Iôn –
Nodda'i wlad â'i ddyledion.

Ym 1950, cyhoeddodd Waldo Williams, y bardd a'r heddychwr
mawr, y byddai'n gwrthod talu ei dreth incwm mewn protest yn
erbyn Rhyfel Corea, ac yn erbyn gorfodaeth filwrol. Treuliodd
gyfnodau yn y carchar ym 1960 a 1961 am beidio â thalu ei dreth
incwm. Roedd ganddo felly ddyledion, ond roedd y dyledion
hynny – fe ddywedir yn baradocsaidd – yn noddi ei wlad, hynny
yw, yn ysbrydoli ei wlad (gan gofio bod Waldo yn genedlatholwr
mawr hefyd) ac yn gwarchod ei wlad rhag barbareiddiwch militar-
iaeth a grym totalitariaeth trwy ei ddyledion i'r dreth incwm.
Dyma englyn paradocsaidd arall:

YR AWEN

Ieuanc yw ei chaneuon – hynafol;
Mor nwyfus ei chrychion;
Iaith gyfoes pob oes yw hon
Na heneiddia'i newyddion.

Ceri Wyn Jones

Hanfod newyddion yw eu bod yn dyddio, yn 'heneiddio', a dyna'r
paradocs yma. Yn aml iawn, mae paradocs yn deillio o wrth-
gyferbyniad, yn union fel y ceir cyferbynnu rhwng 'heneiddio' a
'newyddion' yn y llinell olaf, a cheir paradocsau yng ngweddill
yr englyn hefyd, '*Ieuanc* yw ei chaneuon – *hynafol*', 'nwyfus ei
chrychion', 'Iaith gyfoes pob oes'.
Mae paradocs fel pe bai'n gweithio'n groes i bob rheswm, ac
eto, ar yr un pryd, mae'n rhesymegol wir, fel yn yr englyn can-
lynol:

TÂL

Â'i hawydd am weld rhywun, yn ei gwên
fe ddisgynnodd deigryn
pan ddaeth merch at ei herchwyn
i droi'n fam i'w mam ei hun.

Tudur Dylan Jones

A dyna rai mathau o englynion y gellir eu hefelychu a'u defn-
yddio fel patrymau.

Pennod 4

Adeiladu Fesul Llinell

GADEWCH I NI edrych ar y ffordd y mae'r beirdd yn adeiladu eu henglynion. Mae sawl ffordd o wneud hynny. Fel hyn y mae Gerallt Lloyd Owen yn agor ei englyn, 'Glas y Dorlan':

> Er imi oedi hydoedd . . .

Eisoes mae rhywun yn gallu gweld siâp a phatrwm yn ei feddwl. Mae 'Er' yn awgrymu bod rhywbeth annisgwyl yn mynd i ddigwydd, neu, yn wir, rywbeth sy'n groes i'r disgwyl. Mae 'oedi' yn awgrymu amynedd a disgwylgarwch, ac mae'n awgrymu cyfnod hir neu weddol hir o amser hefyd, yn union fel y mae 'hydoedd' yn awgrymu hynny. Felly, y mae yna elfen neu awgrym o siom ('Er') yn y llinell gyntaf, ac awgrym yn ogystal fod y bardd yn dyheu am weld neu brofi rhywbeth. A'r peth cyntaf y mae'n rhaid i ni ei wneud ar ôl darllen y llinell agoriadol hon yw gofyn *pam* y mae'r llefarydd yn 'oedi hydoedd', a rhaid i'r englyn egluro pam y mae'r bardd yn 'oedi hydoedd'.

Dyna'r cam naturiol, rhesymegol nesaf, ac fel hyn y mae'r englyn yn parhau:

> Er imi oedi hydoedd i'w weld ef . . .

A dyna esbonio pam y mae'r bardd yn 'oedi hydoedd', neu led-esboniad yn hytrach. Oedi i weld rhywbeth y mae, ond ni

77

ddywedir wrthym beth. Y cam naturiol nesaf yw dweud beth y mae'n gobeithio ei weld, a dyma bellach baladr yr englyn:

> Er imi oedi hydoedd i'w weld ef,
> Perl y dail a'r dyfroedd . . .

A dyna'r hyn y disgwylir ei weld, yr aderyn llachar, lliwgar hwn, sy'n dartio fel fflach o ganol y dail ar lan afon i gipio pysgodyn o'r dŵr, a hynny ar amrantiad, mewn fflach. Felly, mae yma oedi am hir i gael cip ar las y dorlan. Ond a gafodd y bardd ei ddymuniad? Mae 'Er' yn awgrymu siom, a dyna a ddisgwyliwn, siom y bardd iddo fethu cael cip ar yr aderyn er iddo oedi am hydoedd. Mae'n rhaid i ni bellach gael esboniad, a dyma ychwanegu'r drydedd linell:

> Er imi oedi hydoedd i'w weld ef,
> Perl y dail a'r dyfroedd,
> Wedyn yw'r cyfan ydoedd . . .

A dyna bellach ddatgelu'n union beth a ddigwyddodd. *Fe* welodd y bardd yr aderyn, ond cip byr sydyn yn unig a gafodd arno. Bu'n rhaid iddo oedi am hydoedd dim ond i gael un cip sydyn, un fflach sydyn o gip, ar yr aderyn. A dyna'r siom, os siom. Bellach rydym yn deall arwyddocâd 'Er' yn y llinell gyntaf. Mae un llinell arall i ddod. Sut y bydd y bardd yn cloi'r englyn? Ai pwysleisio'i siom ymhellach a wna? Dyma bellach ychwanegu'r llinell glo:

> Er imi oedi hydoedd i'w weld ef,
> Perl y dail a'r dyfroedd,
> Wedyn yw'r cyfan ydoedd,
> Parhad lliw'r eiliad lle'r oedd.

Mae'r llinell olaf yn crynhoi'r cyfan. Er mor sydyn wibiog fu'r cip a gafwyd ar las y dorlan, gadawodd yr eiliad fer honno argraff annileadwy ar gof a synhwyrau'r bardd. Eiliad o liw fydd honno am byth, ac eiliad a fydd yn parhau am byth yn y cof. Felly, *er* mai dim ond *wedyn* oedd y cipolwg a gafwyd ar yr aderyn, yr oedd yn werth i'r bardd aros am hydoedd i gael y cip hwnnw, oherwydd i'r profiad gyfoethogi ei fywyd, ac oherwydd y bydd y profiad hwnnw gydag ef am byth.

Ystyriwn am eiliad fod y bardd wedi *methu* gweld glas y dorlan ar ôl yr holl oedi. Sut englyn a geid wedyn? Dyma ddilyn y trywydd arall hwn:

> Er imi oedi hydoedd i'w weld ef,
> Perl y dail a'r dyfroedd,
> Y llyn o ddŵr, llonydd oedd,
> Ac oedi seithug ydoedd.

Efallai fod y mynegiant yn ddigon cymen, gydag 'oedi' yn cael ei ailadrodd i bwrpas, ond gwrth-uchafbwynt a geir yma mewn gwirionedd. 'Does dim byd yn digwydd, ac mae'r englyn yn syrthio'n fflat.

Bu glas y dorlan yn atyniad i'r beirdd erioed, a byddai cael cip ar englynion eraill i'r aderyn hwn yn ddiddorol, i weld sut yr aeth beirdd eraill ati. Dyma englyn Trebor Roberts, er enghraifft:

> Rhyfeddais, sefais yn syn – i'w wylio
> Rhwng yr helyg melyn,
> Yna'r lliw yn croesi'r llyn –
> Oedais, ond ni ddaeth wedyn.

Craffwn ar yr englyn hwn eto, i'w astudio o safbwynt y modd y mae wedi cael ei adeiladu fesul llinell. Cyfres o ferfau sy'n dal yr englyn yn dynn yn ei gilydd: rhyfeddu, sefyll, gwylio, croesi, oedi, dod ('ni ddaeth'). Un ferf neu ferfenw yn unig a roddir i'r aderyn, i gyfleu sydynrwydd ei ehediad, sef 'croesi'. Ac eithrio'r 'ni ddaeth' negyddol, mae pob berf neu ferfenw yma yn cyfeirio at y gwyliwr. Mae yma ryfeddu i ddechrau, a 'sefais yn syn' yn awgrymu sefyll yn stond, a'r gwyliwr wedi'i rewi yn yr unfan wrth wylio'r rhyfeddod:

Rhyfeddais, sefais yn syn . . .

Pam mae yma ryfeddu a sefyll yn syn? Rhaid i'r ateb i'r cwestiwn hwn ddilyn yn syth:

Rhyfeddais, sefais yn syn – i'w wylio
Rhwng yr helyg melyn . . .

I wylio beth, wedyn? –

Rhyfeddais, sefais yn syn – i'w wylio
Rhwng yr helyg melyn,·
Yna'r lliw yn croesi'r llyn –

Felly, gwylio'r 'lliw' yn croesi'r llyn sy'n peri'r fath syndod. Ond sut mae cloi'r englyn wedyn? Fel hyn, gan awgrymu mai profiadau prin ryfeddol yw profiadau mwyaf cyfoethog a mwyaf gwefreiddiol bywyd:

Rhyfeddais, sefais yn syn – i'w wylio
Rhwng yr helyg melyn,
Yna'r lliw yn croesi'r llyn –
Oedais, ond ni ddaeth wedyn.

Dyma englyn Geraint Roberts, 'Glas y Dorlan (Ger Pont Llangyndeyrn)':

Yno fe'i gwelais unwaith, – am ennyd,
    Y man lle bûm ganwaith,
Yn amau am oriau maith
A welwn ei liw eilwaith.

Sut mae'r englyn hwn yn gweithio o safbwynt y ffordd y cafodd ei roi ynghyd? Dechreuwn gyda'r llinell gyntaf:

> Yno fe'i gwelais unwaith

Mae'r llinell hon yn codi cwestiynau yn syth. Ymhle mae'r 'yno' a beth yn union a welwyd 'yno' unwaith? Mae'n wir fod y teitl, 'Glas y Dorlan (Ger Pont Llangyndeyrn)', yn ateb y cwestiynau hyn, ond rhaid cael rhyw fath o esboniad o fewn yr englyn ei hun hefyd. Ac o'i weld unwaith, pa fath o weld oedd hwnnw? Awn ymlaen:

> Yno fe'i gwelais unwaith, – am ennyd,
>   Y man lle bûm ganwaith . . .

A dyna egluro rhai pethau inni. Gwelwyd yr hyn a welwyd unwaith yn y 'man lle bûm ganwaith', a hynny 'am ennyd' yn unig. Mae amser yn ffactor pwysig yma – 'unwaith', 'ennyd', 'ganwaith'. Awgrymir hefyd mai profiad prin, anghyffredin, a gafwyd 'Yno', gan i'r bardd fod yn y lle hwnnw ganwaith, ond dim ond unwaith y gwelodd yr hyn a welodd yno. Ac felly awn ymlaen, gan ddisgwyl mwy o esboniad ar yr hyn a welwyd unwaith:

> Yno fe'i gwelais unwaith, – am ennyd,
>   Y man lle bûm ganwaith,
>   Yn amau am oriau maith . . .

Ond ni chafwyd esboniad. Dal yn ôl a wneir yma, oedi, a chadw'r esboniad a'r uchafbwynt at y llinell olaf. Yma eto mae'r ffactor amser yn amlwg bresennol, 'am oriau maith', ymadrodd sy'n gwrthgyferbynnu gydag 'am ennyd' yn y llinell gyntaf. Ac yna down at y llinell olaf:

Yno fe'i gwelais unwaith, – am ennyd,
Y man lle bûm ganwaith,
Yn amau am oriau maith
A welwn ei liw eilwaith.

A dyna uchafbwynt perffaith. Down i wybod mai 'ei liw', lliw'r
aderyn, y peth mwyaf trawiadol yn ei gylch, yw'r hyn a welwyd
unwaith. Mae pob un o'r tri englynwr wedi canolbwyntio ar liw'r
aderyn: 'Parhad lliw'r eiliad lle'r oedd', 'Yna'r lliw yn croesi'r
llyn', 'A welwn ei liw eilwaith'. Ac fe geir yn englyn Geraint
Roberts gyfochri cystrawennol, i roi undod i'r englyn ac i gyfer-
bynnu rhwng yr hyn a welwyd unwaith a'r hyn na welwyd
eilwaith – 'fe'i gwelais unwaith', 'A welwn . . . eilwaith'. Mae
'eilwaith' yn parhau'r ffactor hwn o amser a geir trwy'r englyn,
tra bo tair o'r prifodlau, 'unwaith', 'ganwaith', 'eilwaith', yn
cyfrannu at undod a chyfanrwydd yr englyn.

A dyma englyn arall i'r un aderyn, y tro hwn gan T. Arfon
Williams.

Efallai, wrth sefyllian, – y gweli
o geulan yn hedfan,
yn syth o dwll, saeth o dân
a dery darged arian.

Nid myfyrio ar y profiad prin o weld glas y dorlan a wna'r bardd,
ond myfyrio ar y *posibiliad* o weld yr aderyn. *Efallai* y daw'r
profiad i'n rhan. Ond wrth ddisgrifio'r posibiliad o weld yr aderyn,
mae'n disgrifio'r hyn y byddai rhywun yn ei weld *pe bai* rhywun
yn digwydd ei weld. Trwy gyfrwng delwedd gron, ddiriaethol-
fyw, y llwyddodd T. Arfon Williams i fynegi syfrdandod a rhyf-
eddod y profiad o weld yr aderyn, sef trwy ddarlunio'r aderyn fel
saeth o dân sy'n taro targed arian y llyn. Ac fe geir yma hefyd
gyferbynnu rhwng 'sefyllian' a 'hedfan'. Sylwer, yn ogystal, mai
berfau cyfystyr, i bob pwrpas, a geir yng nghyrch tri o'r englynion

hyn, 'i'w weld ef', 'i'w wylio', 'y gweli', a cheir 'gwelais' yn llinell gyntaf englyn Geraint Roberts.

Lluniodd Ithel Rowlands hefyd englyn i'r aderyn hwn:

> O gyfrinach cilfachyn – hy y teifl
> Tylwyth Teg y dyffryn
> Garreg las dros gaerog lyn,
> Ergydliw ar gaeadlyn.

Ffansi a geir yn yr englyn hwn, sef y ffansi fod y Tylwyth Teg yn taflu, o gilfach gudd, ddirgel, 'garreg las' dros y llyn, ac mae'r llinell olaf yn cyfochri'n gystrawennol â'r llinell o'i blaen, gan bwysleisio'r ddelwedd.

Sylwer, hefyd, na chaiff yr aderyn ei enwi o gwbl yn yr englynion hyn. 'Perl y dail a'r dyfroedd' ydyw yn englyn Gerallt Lloyd Owen; y 'lliw' yn englyn Trebor Roberts, ac 'ei liw' yn englyn Geraint Roberts; 'saeth o dân' yn englyn T. Arfon Williams, a '[c]arreg las' ac 'Ergydliw' yn englyn Ithel Rowlands.

Arferai T. Arfon Williams ddweud mai llunio'r llinell olaf yn gyntaf a wnâi pan fyddai'n gweithio englyn, yn amlach na pheidio, ac wedyn gweithio tuag yn ôl. Hawdd derbyn hynny o ddarllen nifer o'i englynion. Un o'i englynion enwocaf yw 'Ymson Mair', ac mae'n amlwg mai gweithio'i ffordd yn ôl a wnaeth yn yr englyn hwn:

> Heno datgelwyd i minnau – paham
> y mae pen y bryniau
> oll yn oll yn llawenhau –
> mae'r achos yn fy mreichiau.

Yn awr, 'does dim un llinell unigol drawiadol, syfrdanol yn yr englyn. Go brin y byddai rhywun yn galw'r llinell gyntaf, 'Heno datgelwyd i minnau', yn llinell fawr, na'r ail na'r drydedd, o ran hynny. Y llinell olaf yw'r llinell unigol orau, efallai, ond ni fyddai honno'n llinell arbennig o dda mewn cyd-destun arall ychwaith. Ond yng nghyd-destun englyn T. Arfon Williams mae hi'n llinell ragorol.

Derbyniwn, felly, mai'r llinell olaf oedd y llinell gyntaf i'r bardd ei llunio. Dyna'r man cychwyn. I ble yr âi wedyn? Fe wyddai beth yr oedd am ei ddweud, sef mynegi gorfoledd a llawenydd Mair o eni Mab Duw i'r byd. Dathlu hynny a wna'r englyn. Ac os oedd wedi penderfynu mai 'mae'r achos yn fy mreichiau' fyddai ei linell olaf, byddai'n rhaid iddo felly ddweud beth yn union yw'r achos sydd ym mreichiau Mair. Mae'r llinell yn swnio fel ateb i gwestiwn: 'Beth yw achos dy lawenydd, Mair?' neu 'Beth yw achos llawenydd yr holl gread?' Mae 'achos llawenydd' yn ymadrodd yn y Gymraeg, a byddai rhywun yn disgwyl i'r gair llawenydd ymddangos yn rhywle. Byddai rhywun hefyd yn disgwyl i gwestiwn gael ei ofyn, 'Pam?' neu 'Beth'. Felly, mae 'pam' a 'llawenydd' gennym, neu 'beth' a 'gorfoledd', efallai. Rwy'n amau i'r bardd sylweddoli yn fuan iawn fod un o'r prifodlau ganddo, dan ei drwyn, sef 'llawenhau'. 'Mae gennym achos i lawenhau' fe ddywedir, a byddai 'llawenhau' yn gweddu'n berffaith yma, a hynny fel y drydedd brifodl:

> . . . llawenhau –
> mae'r achos yn fy mreichiau.

A dyna'r englyn ar ei ffordd.

Bellach mae'n rhaid chwarae o gwmpas â'r drydedd linell, a chwarae â'r posibiliad o roi 'pam' neu 'paham' neu 'beth' yn rhywle yn yr englyn:

> Beth . . .
> A wnaeth i ni lawenhau?
> Mae'r achos yn fy mreichiau.

Mae'r drydedd linell yn llawn o bosibiliadau, er enghraifft, 'A wnaeth i chi lawenhau', 'A wnaeth i mi lawenhau', 'A wnaeth i ti lawenhau', 'A wnaeth i'r byd lawenhau', 'A wnaeth i bawb lawenhau', ac yn y blaen. Ar y llaw arall, gall llinellau eraill, hollol wahanol, gael eu llunio ym merw'r creu, 'A llu Nef yn llawenhau', er enghraifft, 'Ninnau oll yn llawenhau', 'Ni all neb ond llawenhau', 'Yn llawn hwyl yn llawenhau', ac yn y blaen. Ond mae'n rhaid bod T. Arfon Williams wedi taro ar y llinell 'Oll yn oll yn llawenhau' yn weddol fuan yn ystod y broses o greu'r englyn, oherwydd mae'r llinell yn sgrechian am gael ei chynnwys ynddo. Ac felly, dyma ni wedi cyrraedd un ai –

> A llu Nef yn llawenhau –
> Mae'r achos yn fy mreichiau . . .

dyweder, neu

> Oll yn oll yn llawenhau –
> Mae'r achos yn fy mreichiau . . .

Ond o'r ddau gynnig, y llinell 'Oll yn oll yn llawenhau' yw'r orau, oherwydd mae yna orfoledd ynddi, ac mae'n cwmpasu pawb a phopeth yn ogystal. Felly, beth sydd 'Oll yn oll yn llawenhau'? Mae'n amlwg fod y bardd ar y pwynt yma, neu ar ryw bwynt yn ystod y broses o greu'r englyn, wedi cofio am emyn Watcyn Wyn, ac am y llinellau hyn yn enwedig:

> Mae pen y bryniau'n llawenhau
> Wrth weld yr haul yn agosáu
> A'r nos yn cilio draw.

Y gair 'llawenhau' a wnaeth iddo alw'r emyn i gof, a'r cyfan sydd angen iddo'i wneud yw cynnwys y geiriau 'Mae pen y bryniau' yn ail linell yr englyn. A dyna ni, mae tair llinell bellach yn gyflawn:

[y] mae pen y bryniau
oll yn oll yn llawenhau –
mae'r achos yn fy mreichiau.

'Pam' yw'r gair nesaf i'w ffitio i mewn i'r englyn, a hawdd gweld
ymhle mae'n ffitio:

> . . . paham
> y mae pen y bryniau
> oll yn oll yn llawenhau –
> mae'r achos yn fy mreichiau.

A dim ond y llinell gyntaf sydd ar ôl. Gan mai Mair ei hun sy'n
llefaru yn yr englyn (*'fy* mreichiau'), mae'n rhaid iddi gyfeirio ati
hi ei hun yn y llinell gyntaf, gan nad yw'n cyfeirio ati ei hun yn
unman arall yn yr englyn ac eithrio'r llinell olaf. Ac mae'r ateb
yn syml, wrth gwrs – 'minnau'. Gallai unrhyw linell dda, naturiol
weddu yma, ond y llinell a ddewisodd T. Arfon Williams oedd
'Heno datgelwyd i minnau', a dyna'r englyn wedi'i gwblhau.

Dyfalu y mae rhywun wrth geisio olrhain y broses o greu wrth
drafod englynion beirdd eraill. Yr unig ffordd ddilys a dibyn-
adwy o ddarganfod sut y mae bardd yn mynd ati i greu ei englyn-
ion yw gofyn iddo ef ei hun ddatgelu'r broses inni. A dyma ddau
englyn o waith awdur y llyfr hwn, gyda gair neu ddau am y modd
yr aethpwyd ati i'w creu.

Yr englyn cyntaf yw 'Er Cof am R. J. Rowlands, Y Bala'. Bardd
o Benllyn, Meirionnydd, oedd R. J. Rowlands (1915-2008),
brodor o'r Gist Faen, Llandderfel, a mab y bardd gwlad Ifan
Rowlands. Gŵr diwylliedig, brogarwr a gwladgarwr, a bardd
graenus a medrus iawn, oedd R. J. Rowlands. Clywais fod llwch
y bardd i'w wasgar dros lethrau'r Berwyn, ac yn fy nychymyg
gallwn weld y gwynt yn chwythu'i lwch oddi ar lethrau'r Berwyn
ac yn ei daenu dros bob llan a phentref ym Mhenllyn, fel y
byddai'r brogarwr hwn yn rhan o'i fro am byth, ac fel y byddai'n

maethu ac yn ysbrydoli'i fro am byth â'i ddiwylliant a'i gariad at
y Gymraeg. Ond, roedd un lle ym Mhenllyn na fynnwn am bris
yn y byd i'w lwch fynd yn agos ato, sef Llyn Tryweryn, llyn trais
Lloegr arnom a llyn ein cywilydd ninnau. Bûm yn meddwl am y
syniad hwn am ddyddiau lawer, yn myfyrio arno am oriau bob
dydd, ac wedyn, yn annisgwyl braidd, fe ddaeth yn weddol rwydd,
fel hyn, ond mae'n rhaid pwysleisio mai'r myfyrdod ymlaen llaw
a oedd wedi ei ryddhau:

> Bwriwch ei lwch o'r Berwyn i gyrraedd
> pob man gwâr ym Mhenllyn
> heb iddo lanio ar lyn
> cywilydd Capel Celyn.

Roedd hwn yn un frawddeg o englyn, ac roeddwn yn ddigon bodlon
ar y tair llinell gyntaf, ond roedd y llinell olaf yn fy mhoeni. Y
gwendid oedd 'lyn . . . Capel Celyn'. Roedd gormod o anwyldeb yn
perthyn i enw'r pentref a foddwyd, Capel Celyn. Roedd yn rhaid i'r
englyn ddiweddu gyda *Tryweryn* yn fy marn i, nid Capel Celyn,
diweddu gyda'r hyn a fu'n fygythiad i Gymreictod Penllyn, a'r hyn
a ddinistriodd bentref trwyadl Gymraeg a Chymreig. Felly, roedd
angen un llinell arall arnaf, ac roedd yr ateb yn syml, mewn gwir-
ionedd. Os oeddwn yn dymuno i lwch y bardd gyrraedd 'pob man
gwâr' ym Mhenllyn, yna, y gwrthwyneb i hynny oedd Tryweryn.
A dyma'r englyn terfynol:

> Bwriwch ei lwch o'r Berwyn i gyrraedd
> pob man gwâr ym Mhenllyn
> heb iddo lanio ar lyn
> anwaraidd Cwm Tryweryn.

Rai blynyddoedd yn ôl, gofynnwyd i mi lunio englyn er cof am
blentyn o'r enw Tomos Gwyn a fu farw'n dair wythnos oed. A
minnau'n dad i ddau fachgen fy hunan, gallwn uniaethu â

cholled enbyd a galar dirdynnol y rhieni, a bu'r drasiedi hon ar
fy meddwl am fisoedd. Yn wir, bu'r englyn ar fy meddwl am
ryw chwe mis, ac er fy mod yn gwybod o'r cychwyn cyntaf beth
roeddwn yn dymuno ei ddweud, ni allwn gael llinell o unman i
fynegi'r hyn a oedd yn crefu am fynegiant. Yna, ar ôl y chwe mis
o fyfyrio, fe ddaeth yr englyn. Dyma'r englyn gorffenedig:

ER COF AM TOMOS GWYN
(*Mab bychan tair wythnos oed Rhian ac Arwyn:*
englyn ar ran y rhieni)

Er bod y sêr, laweroedd, mor glaerwyn,
mor glir ers canrifoedd,
siwrnai wib un seren oedd
i ni'n gloywi'r gwagleoedd.

Gan mai yn fy mhen y byddaf yn creu fy ngherddi, 'does dim
cofnod ysgrifenedig o'r modd y cyrhaeddwyd y fersiwn terfynol
yn bod yn unman. Cofiaf rai pethau yn unig. Roedd gen i o leiaf
dair llinell gyntaf i ddewis o'u plith:

Er bod y sêr, niferoedd

Er bod y sêr, laweroedd

Er bod holl sêr y bydoedd

Penderfynais mai'r ail uchod oedd y llinell orau. Cofiaf imi hefyd
chwarae o gwmpas â chyfuniadau fel 'yn glaerwyn', 'yn glir', 'yn
disgleirio', ac yn y blaen, rhwng y cyrch a'r ail linell.
    Fesul llinell y mae creu englyn, arbrofi fan hyn, arbrofi fan
draw, chwilio am eiriau, gadael i eiriau ateb ei gilydd, a gadael i
eiriau annog ei gilydd hefyd. Weithiau, swyddogaeth eilyddol

sydd gan y bardd ei hun yn y broses hon o greu. Cofnodwr ydyw yn aml, ac nid crëwr, ac eto, fel y ceisiwyd esbonio yn *Crefft y Gynghanedd*, rhyw fath o broses anymwybodol-ymwybol yw'r broses o greu ar gynghanedd.

Pennod 5

Trwsio a Thwtio

MAE DIFFYG GOFAL a diffyg amynedd, yn ogystal â chrefft ddiffygiol, yn gallu andwyo englyn. Gall rhywun daro ar linell dda, ac ar baladr neu esgyll da hyd yn oed, ond mae'n rhaid i bob llinell fod yn dda i greu englyn da.

Felly, fe awn ar ôl rhyw lond dwrn o englynion y gellid eu gwella. Ceir yr englyn canlynol ym Mynwent Eglwys Sant Cedol, Pentir, Gwynedd, ar fedd gŵr o'r enw Thomas Williams, a fu farw ym 1875, ac fe'i cyhoeddwyd yng nghyfrol J. Elwyn Hughes, *Englynion Beddau Dyffryn Ogwen* (1979):

> Gŵr addas garai heddwch, – da flaenor
> Diflino'i weithgarwch;
> Llawn a digoll yn ei degwch,
> Coron ei wlad, carwn ei lwch.

Nid yw'n englyn gwael, o bell ffordd, ond eto mae yna rai gwendidau amlwg ynddo. Gwan yw'r ansoddair 'addas' yn y llinell gyntaf, er enghraifft. Beth, wedi'r cyfan, yw 'gŵr addas' – 'a suitable man'? A byddai 'Gŵr addas *a* garai heddwch' yn gywirach o ran gramadeg yr iaith. Byddai hepgor yr ansoddair gwan 'addas', gan roi berf yn ei le, yn cryfhau'r llinell yn syth, fel hyn:

> Gŵr oedd a garai heddwch

Byddai oes ddiweddarach yn condemnio gosod yr ansoddair o flaen yr enw, fel 'da flaenor' yma. Gwir fod yma adlais o'r adnod 'Da, was, da a ffyddlon . . .', ond mae 'da flaenor' yn taro clust rhywun yn chwithig braidd erbyn heddiw. Fe ellid newid:

> Gŵr oedd a garai heddwch, – yn flaenor
> Diflino'i weithgarwch . . .

Mae'r ddwy linell olaf yn wythsill o hyd, ac fe geid llinellau wythsill yn yr esgyll yn aml yn y bedwaredd ganrif ar bymtheg. Anfoddhaol, fodd bynnag, yw'r drydedd linell, gan mai dau air cyfystyr yw 'llawn' a 'digoll'. Ystyr 'digoll' yw 'cyflawn', ac felly, fe ddywedir yma mai 'Llawn a chyflawn oedd ei degwch'. Byddai 'A digoll oedd ei degwch' yn well llinell o lawer, a honno'n llinell seithsill naturiol ar yr un pryd. Ac os yw'r drydedd linell yn seithsill, rhaid i'r llinell olaf hefyd fod yn seithsill. Felly, dyma newid un peth bach arall:

> Gŵr oedd a garai heddwch, – yn flaenor
> Diflino'i weithgarwch,
> A digoll oedd ei degwch,
> Annwyl oedd; carwn ei lwch.

Dyna dwtio'r englyn heb grwydro'n ormodol oddi wrth y fersiwn gwreiddiol – ei dwtio ond heb ei berffeithio. Camgymeriad mawr awdur yr englyn gwreiddiol oedd tybio bod cynghanedd gytsein-iol gref – pedair cynghanedd Groes sydd ganddo, gan gynnwys Croes o gyswllt yn y drydedd linell – yn creu englyn cryf. Yn awr, mae pob mathau o bethau yn bosibl gyda'r englyn hwn, a gellid ei newid yn ddi-ben-draw, ond nid yr un englyn a geid wedyn. Er enghraifft, yn hytrach na'r llinell wythsill 'Coron ei wlad, carwn ei lwch', byddai llinell fel 'Daear ei wlad ar ei lwch' yn llawer mwy effeithiol fel llinell glo, ond byddai'n rhaid gweithio englyn newydd sbon o gwmpas y llinell honno wedyn.

Dyma enghraifft arall o englyn nad yw wedi ei weithio'n llawn
i'r pen, englyn Tîm Cwmlline yn Ymryson y BBC gynt i 'Y
Teledydd', a oedd yn rhywbeth newydd iawn yng nghefn-gwlad
Cymru ddiwedd y 1950au a dechrau'r 1960au:

> Dros y wlad, ail i'r radio – y daw'r llais,
> Gyda'r llun i'n swyno;
> Ein gweddus seisnigeiddio
> Er y mawl, a wna'i rym o.

Llinell wan iawn yw'r llinell glo, yn enwedig gan ei bod yn dilyn
llinell ryfeddol o gryf. Mae'r ansoddair 'gweddus' yn wych. Dyma
drais tawel, cyfreithlon, anamlwg, 'gweddus', sef dwyn ein Cym-
reictod oddi arnom a lladd y Gymraeg trwy gyfrwng diddanwch
ac adloniant Saesneg. Gallai hynny fod wedi digwydd yn rhwydd,
a bu'n achos cryn dipyn o bryder pan oedd pob aelwyd yng
Nghymru yn prynu set deledu. Dylid cloi'r englyn gyda'r drydedd
linell gref. Nid yw'r llinell olaf, fel y mae, yn dweud dim nac yn
golygu dim, a geiriau llanw yw 'Er y mawl'. Gwrth-uchafbwynt
yn wir. Felly, beth am chwilio am well llinell nag 'Er y mawl, a
wna'i rym o'? Mae digon o eiriau acennog gyda'r odl –o ar gael:
bro, bo (berf), clo, cno, do, ffo, glo, gro, llo, to, tro, ac yn y
blaen. Ac o safbwynt thema a phwnc yr englyn dan sylw, pa air
yw'r gorau? Mae'r ateb yn syml: y gair cyntaf, wrth gwrs, sef bro.
Peryglu bro, peryglu cymuned a Chymreictod y gymuned honno,
a wna dyfodiad y teledu. Wedyn mae'n rhaid meddwl a myfyrio.
Os peryglu bro, a'r cysyniad o fro Gymreig unol a chlòs, a wneir,
rhaid dweud hynny. Mae sawl posibiliad yma, cannoedd o bosibil-
iadau, a dweud y gwir, a dyma rai:

> Llais a llun yn braenu'n bro
> O'n gweddus seisnigeiddio.

> Ond bellach breuach ein bro
> O'n gweddus seisnigeiddio.

Ond clwyfus, bregus ein bro
O'n gweddus seisnigeiddio.

Ond efallai y byddai cael cyferbyniad rhwng 'bro' a rhywbeth mwy o ran maint, y peth mwyaf Anghymreig bosibl, yn fwy effeithiol, gan y gallem gael cyferbyniad rhwng yr hyn sy'n bod a'r hyn a all ddisodli'r hyn sy'n bod. Y gair allweddol yma, wedi ei dreiglo, yw 'Prydain': pe caniataem iddo, fe wnâi'r teledu Brydain o'n bro, ac mae'r llinell gennym eisoes. Felly, dyma'r englyn ar ei newydd wedd, gyda llinell newydd yn ymddangos ynddo er mwyn asio â'r drydedd linell newydd:

Dros y wlad, ail i'r radio, – peryglus
    Yw pob rhaglen arno,
    A gwna'r rhain Brydain o'n bro
O'n gweddus seisnigeiddio.

Wrth drwsio a thwtio fel hyn, ac ymyrryd ag englynion printiedig, awgrymu'r hyn sy'n bosibl a wneir.

Gall newid y gair lleiaf weithiau wneud byd o wahaniaeth. Dyma englyn J. H. Bennett (allan o *Awen Maldwyn* yng Nghyfres Barddoniaeth y Siroedd gynt) i 'Sipsi':

Ar rawd hir er toriad dydd – ei nef hi
    Yw'r hen fen anghelfydd;
    O fan i fan rhodia'n rhydd
A'i haelwyd ar heolydd.

Onid llawer cryfach fyddai cloi gyda'r llinell 'A'i haelwyd *yw*'r heolydd', hynny yw, y ffordd agored, yr heolydd, y byd mawr cyfan, yw aelwyd neu gartref y sipsi. Yn y llinell wreiddiol mae 'aelwyd' yn cyfeirio at garafán y sipsi, gan gyfyngu'r ystyr, ond cryfach ac ehangach fyddai 'yw'r heolydd'.

Gall y geiryn lleiaf wneud byd o wahaniaeth. Lluniwyd y cwpled canlynol gan Dîm Talwrn Nant Conwy, ac mae'n gwpled trawiadol:

> I fam, mae pob ennyd fer
> Yn baradwys neu'n bryder.

Ac eto mae modd gwella'r cwpled yn aruthrol gydag un gair bach, un llythyren o air, mewn gwirionedd:

> I fam, mae pob ennyd fer
> Yn baradwys *o* bryder.

Datganiad a gafwyd yn y cwpled cyntaf, 'un ai . . . neu', ond paradocs a gafwyd yn yr ail gwpled, a disgrifiad cryfach o deimladau cymhleth mam ar yr un pryd.

Mae'r llinell olaf yn difetha'r englyn hwn, 'Pêl-droediwr' gan R. W. Roberts:

> Ar y maes y grymusa'; – un o dîm
> A wna dorf yn danchwa;
> Gyda'r bêl fel awel â,
> Hoenus gawr, yna sgoria.

Ymadrodd llanw yw 'Hoenus gawr', geiriau er mwyn y gynghanedd a dim byd arall. Y cyfan yr oedd ei angen i'r englynwr hwn ei wneud oedd meddwl ymhellach, chwilio am rywbeth gwell, yn hytrach na derbyn llinell mor anfoddhaol. Ac mae'r ateb mor syml:

> Ar y maes y grymusa'; – un o dîm
> A wna dorf yn danchwa;
> Gyda'r bêl fel awel â,
> *Osgoi eraill*, a sgoria.

Holl bwynt y bennod hon yw pwysleisio, dro ar ôl tro, mai trwy amynedd a dyfalbarhad y crëir englynion da, a thrwy arbrofi â llinellau a geiriau drwy'r amser, dewis a dethol, newid trefn geiriau mewn llinell, newid trefn llinellau, newid a newid nes bod pob llinell unigol yn berffaith, a phob llinell unigol wedyn yn cydweithio'n berffaith â phob llinell arall yn yr englyn. Creu undod a chyfanwaith yw'r nod bob tro.

Dyma dwtio un englyn arall:

CYLLELL

Er i'r meddyg uwch gwely gwyn – â'i min
    Wahanu mam a'i phlentyn,
    Ni all hon dorri'r llinyn
    Sy'n parhau hyd angau'n dynn.

Tîm Talwrn Aberystwyth

Ceir syniad gwych yma, er fy mod yn cael anhawster i dderbyn mai gyda chyllell y torrir llinyn y bogail, yn hytrach na siswrn. Anwybyddwn hynny am y tro, a gofynnwn beth sy'n bod ar yr englyn. Y broblem fwyaf yw'r ail linell, sy'n seithsill o hyd, yn hytrach na chwe sillaf. Mae'r ateb yn bur syml:

Er i'r meddyg uwch gwely gwyn – â'i min
    Ddod rhwng mam a'i phlentyn,
    Ni all hon dorri'r llinyn
    Sy'n parhau hyd angau'n dynn.

Ac er mwyn rhoi mwy o undod fyth i'r englyn, a chryfhau'r thema hon o'r cwlwm clòs annatod hwn rhwng mam a'i phlentyn hyd angau ar yr un pryd, gellid awgrymu un newid bach arall:

Er i'r meddyg uwch gwely gwyn – â'i min
    Ddod rhwng mam a'i phlentyn,

Ni all hon dorri'r llinyn
Sydd rhwng dau hyd angau'n dynn.

Ymarferiad buddiol arall yw cymryd englynion o waith beirdd
eraill, tynnu rhai geiriau allan ohonyn nhw, a gofyn i'r darllenwyr
lenwi'r bylchau gyda'r gair neu'r ymadrodd gorau allan o ddewis
o dri bob tro. Rhoir yr atebion cywir, hynny yw, yr englynion fel
y maen nhw gan y beirdd, ar ddiwedd y llyfr hwn.

I ddechrau, dyma englyn W. Roger Hughes, 'Y Gofaint', gyda
bylchau ynddo.

Wedi ffrwd y [   ] ffraet – ym min hwyr,
 A mwynhau [   ],
  Gwŷr [   ] ar wasgar a aeth
 A hir [   ] yr hiraeth.

A dyma'r dewis:

 Llinell 1: tafod, trafod, siarad
 Llinell 2: gwleidyddiaeth, trafodaeth, cwmnïaeth
 Llinell 3: gwâr, hoff, rhugl
 Llinell 4: erys, oerodd, mor hir

A dyma ragor o ymarferiadau o'r fath:

Y NYRS

Y claf yw maes ei llafur, – i eiddil
 Hi [   ] gysur;
  Â llaw [   ] hi wella gur,
 Hi rydd [   ] ar ddolur.

R. Môn Jones

A dyma'r dewis:

Llinell 2: a roddodd, weinydda, a nodda
Llinell 3: gu, goeth, gain
Llinell 4: ddwylo, eli, heulwen

NADOLIG

Gŵyl [   ], Gŵyl y Geni, – Gŵyl cofio,
    Gŵyl [   ];
A Gŵyl Nef – os [   ] ni
Un [   ] addoli.

Dafydd Gruffydd

Llinell 1: coeden, lawen, seren
Llinell 2: cyfoeth a thlodi, cyfarch a rhoddi, cyfedd a miri
Llinell 3: gwelwn, gwyliwn, galwn
Llinell 4: a ddeil i'w, i'w ddilys, a ddylem

GORFFENNOL

Hen [   ] fy meddyliau, – hen gyfrol,
    Hen [   ],
Hen fyd a hen [   ],
A hen gownt wedi'i hen gau.

Tîm Talwrn Deudraeth

Llinell 1: ddolen, ddalen, ddelwedd
Llinell 2: gyfrif profiadau, gofrodd fy nyddiau,
    gyfres o luniau
Llinell 3: brofiadau, fywydau, ofidiau

ADFEILION CAPEL

Llwybr [   ] lle bu'r emynau: y drain
   Yn [   ] dros weddïau;
   Ar [   ] y drysi'n cau,
   A'r [   ] lle bu'r doniau.

Wil Ifan

Llinell 1: meinwynt, amen, manwellt
Llinell 2: drwm, drwch, drist
Llinell 3: sain cerdd, sionc gerdd, sŵn cerdd
Llinell 4: dinistr, dinod, danadl

GŴYL NADOLIG

Gŵyl [   ] y seren a'i gwawl hi'n
   [   ]
  i ni [   ], Gŵyl wen,
  Gŵyl [   ] a Gŵyl lawen.

T. Arfon Williams

Llinell 1: ysblander, ddibryder, mireinder
Llinell 2: goleuo'r ffurfafen, sgleinio'n y ffurfafen,
          gloywi heno'r wybren
Llinell 3: [i ni] eleni, [i ni], goleuni . . ., [i ni],
          Gŵyl annwyl
Llinell 4: liwus, ieuanc, loyw

3 CHWEFROR, 1986

Roedd 'na eira ddoe'n aros – yn [   ]
   Yn y gornel [   ]
   [   ] gyda'r hwyrnos
  Am [   ] am y rhos.

Donald Evans

Llinell 1: oerni, garnedd, harnais
Llinell 2: ddiddos, agos, unnos
Llinell 3: A'r oerni, Ar y wern, Haearnaidd
Llinell 4: rew a heth, eira hwy, wawr o haf

GWELL CYMRAEG

Wedi [   ] gyfnodau maith – [   ]
    Chystrawen [   ],
[   ] uniaith
I adfer [   ] i'n hiaith.

Derwyn Jones

Llinell 1: mud, mall, mwll
Llinell 1: o 'strywio'i, dirywio'i, o rewi'i
Llinell 2: â bratiaith, amherffaith, â llediaith
Llinell 3: Unwn yn Gymry, Ymrown yn Gymry,
    Mawrhawn y Gymru
Llinell 4: hoywder, hyder, hoender

Y NYRS

[   ] ferch trugaredd, – yn wastad
    Mae'n estyn [   ];
Hi a'n [   ] ein gwaeledd,
Hi dyrr boen, hon [   ] bedd.

Robert Thomas Rowlands

Llinell 1: Gywiraf, Rhagorol, Gu, wrol
Llinell 2: ymgeledd, tangnefedd, hynawsedd
Llinell 3: gwylia'n, gwêl yn, geilw'n
Llinell 4: wawdia'r, oeda'r, rwystra'r

POCED

Hi yw [   ] y cybyddion – a di-glo
    Gist [   ] eu cynilion,
    Ond i'r hael gwir [   ] hon
    Ydyw [   ] ei galon.

Tîm Talwrn Cylch y Garn

Llinell 1: bedd, budd, bodd
Llinell 2: glyd, glep, glwt
Llinell 3: ddyfnder, lawnder, londer
Llinell 4: gwaelod, golud, gwaled

Fel y dengys yr enghreifftiau uchod i gyd (a'r atebion ar ddiwedd y llyfr), mae sawl dewis o air neu eiriau ar gael yn aml, a gall hyn beri cryn benbleth i'r bardd, wrth iddo geisio dewis y gair gorau bob tro. Flynyddoedd yn ôl, mewn cynhadledd ar farddoniaeth gynganeddol, roedd nifer ohonom yn trafod barddoniaeth, ac Ithel Rowlands yn aelod o'r cwmni. Roedd ganddo englyn ar y gweill ar y pryd, 'Y Pabi Coch', englyn a ddaeth yn adnabyddus iawn wedyn, ac roedd mewn cyfynggyngor braidd. Roedd ganddo ddwy linell glo i'r englyn, ac ni allai yn ei fyw benderfynu pa un oedd y llinell orau. Roedd un llinell yn enghraifft o leihad, sef dweud llai nag a feddylir, er mwyn creu eironi, a'r llall yn enghraifft o ormodiaith – os gormodiaith hefyd (o gofio am y miliynau a laddwyd yn y Rhyfel Mawr). Dyma'r ddau ddewis a oedd yn wynebu'r bardd:

Ifanc yn nrama'r cofio, – dwfn ei wrid,
    Dyfnha'r ing lle byddo;
    Y mae barn Ypres arno,
    A dafn o waed o'i fewn o.

Ifanc yn nrama'r cofio, – dwfn ei wrid,
  Dyfnha'r ing lle byddo;
  Y mae barn Ypres arno,
  Afon o waed o'i fewn o.

Ar ôl cryn dipyn o drafod, yr englyn cyntaf a ddewiswyd gan
bawb, gan gynnwys yr awdur ei hun, oherwydd bod y lleihad –
'A dafn o waed o'i fewn o' – yn llawer mwy eironig ac effeithiol
na'r 'Afon o waed o'i fewn o'.

Pennod 6

Y Broses o Englyna ar Waith

MAE'R BROSES O englyna, ac o greu barddoniaeth drwy gyfrwng y gynghanedd yn gyffredinol, yn broses hir, anodd a chymhleth, yn enwedig os yw'r bardd neu'r englynwr yn anelu at y safonau uchaf. Mewn gwirionedd, prif bwrpas creu ar gynghanedd yw chwilio am y mynegiant gorau i'r deunydd neu'r mater gorau. Ac mae'r broses o chwilio am y mynegiant gorau yn broses o ymwrthod yn ogystal â derbyn. Mae'n rhaid arbrofi a newid drwy'r amser, creu llinell, ei newid, ei haddasu, ei gwrthod; chwilio am air, dewis gair, gwrthod gair, cael gair arall, gwrthod neu dderbyn. Wrth i'r englyn ddechrau ymffurfio, mae'n rhaid arbrofi eto, newid trefn y llinellau, newid trefn y geiriau, newid geiriau, dewis a dethol, gwrthod a derbyn, ac yn y blaen.

Un peth hollbwysig yw peidio â derbyn y peth cyntaf a ddaw, na'r ail, na'r trydydd . . . na'r canfed. Hyd yn oed os daw 'gwyrth' o linell, llinell berffaith, mae'n rhaid chwilio am ei gwell. Ac mae'n rhaid arbrofi â threfn llinellau. Wrth i'r ymennydd boethi, ac wrth i'r cyffro creadigol feddiannu'r meddwl yn llwyr, bydd geiriau a llinellau yn gwibio ar draws ei gilydd, a rhaid i'r bardd fod yn effro-wyliadwrus i'w dal, a chaboli a didoli wedyn mewn gwaed oer.

Fel y dywedwyd eisoes, y broblem gyda chreu ar gynghanedd yw'r hyn a alwaf yn 'amrywiad mynegiant', hynny yw, gellir dweud yr un peth mewn cannoedd o ffyrdd gwahanol wrth greu ar gynghanedd, a thasg y bardd, bob tro, yw chwilio am y mynegiant gorau oll.

Un ffordd ddifyr a diddorol o ddangos yr amrywiad mynegiant ar waith yw trwy drosi cerddi byrion Saesneg ar ffurf englynion, neu 'gyfieithu' cerddi mewn ieithoedd eraill hyd yn oed. Ond cymerwn ddwy gerdd Saesneg am y tro. Yn y cylchgrawn *Barddas* rai blynyddoedd yn ôl, gwahoddais y beirdd i gyfieithu neu addasu tair cerdd fer Saesneg. Un o'r tair oedd y gerdd fechan ganlynol, gan Elizabeth Jennings, o gerdd hwy yn dwyn y teitl 'Words About Grief':

> Time does not heal,
> It makes a half-stitched scar
> That can be broken and you feel
> Grief as total as in its first hour.

Un arall oedd 'October 12th 1972 (for Lily Tilsley, my grandmother, born 1872)' gan Paul Hyland:

> The box we bear is cold
> and surprisingly light.
>
> One I love should weigh more.

Sut y byddai rhywun yn mynd ati i greu englynion o'r cerddi byrion hyn? Mae un peth yn amlwg: yr hyn y mae'n rhaid i ni ei wneud yw cynganeddu syniadau, nid cynganeddu geiriau. Mae'r syniadau yma, yn barod ar ein cyfer. Ond mae'n rhaid dweud hefyd fod y sawl sy'n ceisio ail-greu'r ddwy gerdd hyn ar ffurf englyn dan anfantais braidd. Cerddi a syniadau pobl eraill yw'r rhain, nid ein cerddi na'n syniadau na'n profiadau ni ein hunain, ac felly, bydd yr elfen o gyffro ysbrydoledig personol ar goll, efallai. Ond holl bwynt yr ymarferiad yw dangos sut y gellir mynegi'r un syniad mewn nifer helaeth o wahanol ffyrdd.

Felly, beth am roi cynnig arni?

Dechreuwn gyda cherdd Elizabeth Jennings. Rhyw hanner gwella poen neu ddolur a wna amser, rhyw hanner cau'r graith, fel meddyg anfedrus, anghyfrifol. Gall y graith ailagor unrhyw amser, wrth i ni gael ein hatgoffa, am un eiliad hyd yn oed, am yr hyn a gollwyd, a daw'r boen a'r galar a deimlem ar y pryd yn ôl inni yn fyw. Teimlwn eto fel y teimlem bryd hynny. Dyna, mewn rhyddiaith, y syniad y bydd yn rhaid inni ei fynegi ar gynghanedd ac ar ffurf englyn.

Dechreuwn, gan italeiddio'r cynganeddion cyflawn yn unig, wrth inni godi geiriau a gadael i air neu ymadrodd gydio mewn gair neu ymadrodd arall: Amser . . . *Amser yw'r meddyg blera'* . . . *Ar groen ar agor unwaith* . . . craith . . . hanner craith . . . agor eilwaith . . . *Er cau'r rhwyg mae'r hanner craith/Greulon ar agor eilwaith*, a dyna un englyn ar y ffordd ar unwaith:

> Mor flêr yw amser o'i waith, – ni all hwn
> Ein gwellhau yn berffaith;
> Er cau'r rhwyg mae'r hanner craith
> Greulon yn agor eilwaith.

Dyna un ffordd o'i ddweud, a hyd yn oed ar ôl i'r englyn gael ei gwblhau, mae rhywun yn chwilio am welliannau ac am bosibiliadau newydd yn barhaus, er enghraifft:

> Mor flêr yw amser o'i waith, – ni all hwn
> Wella'n llwyr/iacháu'n llwyr un artaith;
> Er cau'r rhwyg mae'r hanner craith
> Greulon yn agor eilwaith.

> Mor flêr yw amser o'i waith, – hwn ni all
> Iacháu neb yn berffaith;
> Er cau'r rhwyg mae'r hanner craith
> Greulon yn agor eilwaith.

Yna, daw rhagor o linellau a rhagor o bosibiliadau: *Yn graith sy'n agor o hyd, Hiraeth dwfn yw dy graith di*, a daw englyn arall, yn ei grynswth bron:

> Er i hwn, Amser, unwaith, ei chau hi,
> A'n hiacháu yn berffaith,
> Agor o hyd a wna'r graith
> A galar a gei eilwaith.

Gwell, efallai, ond nid yw'n ddigon da eto ychwaith. Daw rhagor o linellau: *Er iddi gau yn raddol . . . a'i phwythau'n aneffeithiol . . . a'i phwytho'n aneffeithiol . . . Yn dadwneud, a daw yn ôl . . . Gur a phoen o'r gorffennol . . . gur a phoen y gorffennol . . .* ac oes, mae yna englyn arall ar y ffordd, ond cyn i rywun gael amser i geisio cyfannu'r englyn hwn, dyma linellau eraill yn ymyrryd â'r broses: *Gan nad yw yn gwneud ei waith, yn feddyg/di-fudd ac amherffaith*, a dyma englyn arall:

> Gan nad yw yn gwneud ei waith, yn feddyg
> Di-fudd ac amherffaith,
> Trwy amser a'i fwnglerwaith
> Agor o hyd a wna'r graith.

Dim digon da eto, ac mae'r drydedd linell yn ailadrodd yr hyn a ddywedir yn y llinell gyntaf.

Dyma ddechrau eto. Daw rhagor o linellau: *Yn ailagor eto'r graith, Yn agor eto'r hen graith, Datodwyd eto'i hedau*, a daw cwpledi cyflawn, y naill un ar ôl y llall:

> Serch i hwn, amser, ei chau,
> Datodwyd eto'i hedau.

> Er dileu'r boen ddechreuol
> Y cnawd nid yw'n cau yn ôl.

Gan ail-greu'r boen ddechreuol
Y cnawd nid yw'n cau yn ôl.

Er dileu'r boen ddechreuol
Nid yw'n cnawd yn cau yn ôl.

Ac wedyn daw'r llinell 'Amser yw'r doctor gorau', a dyna newid yr odl eto, a dyma chwarae o gwmpas â phosibiliadau newydd:

Amser yw'r doctor gorau – ond eto,
  Heb weithio ei bwythau
  Yn iawn, na'i chyflawn iacháu,
  Y graith sy'n agor weithiau.

A dyma fersiwn arall:

Amser yw'r doctor gorau – ond, rywfodd,
  Ni weithiodd ei bwythau
  Yn iawn, a heb gyflawn gau,
  Y graith sy'n agor weithiau.

A dyma englyn arall yn cyrraedd yn annisgwyl, ym merw'r holl broses hon o greu:

Ni fedrodd â'i adnoddau – weithio'r pwyth
  I'r pen, ac mae edau
  Hen graith yn agor weithiau
  Serch i hwn, amser, ei chau.

Ond mae rhywun o hyd yn anfodlon. Llinell lanw braidd yw 'Ni fedrodd â'i adnoddau', ac mae angen i'r englyn ddiweddu gyda'r drydedd linell, mewn gwirionedd, gan mai'r hyn a ddywedir yn y llinell hon yw holl bwynt yr englyn, a'r uchafbwynt iddo hefyd.

Felly, newidiwn drefn y ddwy linell, ac mae angen rhoi prif-lythyren i 'Amser' hefyd, fel meddyg gorau'r byd (a'r dinistriwr pennaf hefyd, ond thema arall yw honno):

> Serch i hwn, Amser, ei chau,
> Yn graith (neu 'Y graith') sy'n agor weithiau.

Ac mae angen i'r gair 'craith' ymddangos yn rhywle yn y paladr hefyd, gan ei fod yn cael ei ailadrodd, mae'n amlwg, yn y llinell olaf uchod. Ac ar ôl meddwl a meddwl, dyma'r fersiwn terfynol (am y tro!):

> Amser yw'r doctor gorau – i gau rhwyg,
>   Ond mae'r graith a'i phwythau,
>   Serch i hwn, Amser, ei chau,
>   Yn graith sy'n agor weithiau.

Mae 'rhwyg' yn golygu poen eithafol, rhwyg hiraeth a rhwyg galar, ac mae'n air sy'n gweddu i'r dim yma. A dyna ni. Rhaid ei gadael yn y fan yna gyda'r englyn hwn. Mae'n grwn ac yn ddigon awgrymog. Efallai fod englyn perffeithiach yn llechu yn rhywle, ond holl bwynt y bennod hon – a'r llyfr hwn – yw dangos sut y mae mynd ati i greu englyn, ac fel y mae'n rhaid newid a newid a newid yn ddi-ben-draw.

Trown yn awr at y gerdd arall: Oer yw'r arch . . . blwch oer . . . *Cludo ei harch, caled yw* . . . caled oedd . . . *Cludo'i harch, caled orchwyl* . . . arwyl . . . hwyl . . . un mor annwyl . . . *Dwyn ei harch, nid yw'n orchwyl – hawdd i ni/neb* . . . *Yr oedd Nain mor annwyl* . . . A dyma ysgerbwd englyn yn barod:

> Dwyn ei harch, nid yw'n orchwyl – hawdd i ni;
>   Yr oedd Nain mor annwyl . . .
>   egwyl, arwyl, disgwyl . . .

Dwyn ei harch, dyna orchwyl – nad yw'n hawdd
  Gan fod Nain mor annwyl . . .
  Ysgafn tu hwnt i'r disgwyl . . .

Ac wedyn fe ddaw englyn cyfan o rywle:

Roedd ei harch, ar awr mor ddu, – yn ysgafn;
  Annisgwyl oedd hynny
  I rai a garai Mam-gu;
  Y llwyth a ddylai'n llethu.

Ond fe wyddom fod gwell englyn yn llercian yn rhywle, un llawer perffeithiach ei fynegiant. Felly, ailddechreuwn. Ac fe ddaw llinellau eraill . . . *nid yw'r arch yn drwm* . . . *nid yw'r arch yn drwm* . . . *Un a gerais a gariaf* . . . A dyna linell sy'n llawn posibiliadau – mae'n dweud popeth.

Yna'n sydyn, daw'r llinell baradocsaidd *Yn drwm ei hysgafnder hi*, ac mae'r broses o fyfyrio a chreu yn tywys yr englyn i gyfeiriad newydd, gwahanol i'r gerdd wreiddiol. Mae hynny'n digwydd yn aml yn ystod y broses o greu, ac er bod rhywun yn gwybod beth y mae'n dymuno'i ddweud, ni all yr un bardd byth ddweud sut y bydd yn ei ddweud nes bod yr englyn terfynol wedi ei greu.

Mae *Yn drwm ei hysgafnder hi* yn awgrymu ar unwaith fod yr arch yn ysgafn, ond oherwydd y golled enfawr, mae'r arch ysgafn hon yn drwm mewn gwirionedd, ac os yw hi'n drwm, mae hyn yn golygu bod rhywun â'i ysgwydd dani, yn ei chludo. Ac fe ddaw'r llinell:

Mae arch yn fy nghrymu i . . .

Y peth nesaf i'w ofyn yw 'Pam mae arch yn fy nghrymu i', a dyma'r ateb: *o achos/Mae'r wraig fach sydd ynddi* . . . A dyma dair llinell englyn:

Mae arch yn fy nghrymu i – o achos
Mae'r wraig fach sydd ynddi
Yn drwm ei hysgafnder hi . . .

Ac wedyn fe ddaw llinell glo:

Mae arch yn fy nghrymu i – o achos
Mae'r wraig fach sydd ynddi
Yn drwm ei hysgafnder hi;
Dinerth wyf innau dani.

Felly, awgrymu bod rhywun a gerid yn angerddol unwaith yn yr arch a wneir. Ond mae . . . *o achos/Mae'r wraig fach sydd ynddi* yn rhy uniongyrchol ffeithiol, ac fe ddaw llinell arall:

Mae arch yn fy nghrymu i – a honno
A ddihoenodd ynddi
Yn drwm ei hysgafnder hi;
Dinerth wyf innau dani.

Ac oherwydd bod y gair awgrymog 'dihoeni' wedi dod i mewn i'r englyn, dyma'i ailadrodd yn y llinell glo, i gryfhau ystyr ac undod yr englyn:

Mae arch yn fy nghrymu i – a honno
A ddihoenodd ynddi
Yn drwm ei hysgafnder hi;
Dihoenaf innau dani.

Dyna ateb *arall* i'r broblem, gan bwysleisio eto mai *rhai* atebion yn unig a roddwyd hyd yma. Gellid rhoi cannoedd.

Bellach rwy'n barod i adael yr ymarferiad gyda'r englyn uchod, ond yn sydyn daw paladr newydd sbon i'r meddwl:

Yn ei harwyl, disgwyliwn – i hon fod
Imi'n fwy o fyrdwn . . .

O ran ymarferiad, dyma fynd ar drywydd y posibiliad hwn – a
'hwn' yn odl, hefyd 'pwn', i gyd-fynd â 'byrdwn', a 'crwn', a
daw'r posibiliad *ei chorff yn y blwch hwn* i'r meddwl, ac wedyn
daw'r llinell *Oherwydd un a garwn* i gydio wrth *ei chorff yn y blwch
hwn*, a dyma englyn arall ar y ffordd:

> Yn ei harwyl, disgwyliwn – i hon fod
> Imi'n fwy o fyrdwn,
> Oherwydd un a garwn . . .

A dyma'r englyn yn ei grynswth:

> Yn ei harwyl, disgwyliwn – i hon fod
> Imi'n fwy o fyrdwn;
> Oni cheir yn y blwch hwn
> Y wraig orau a garwn?

Ac yna daw llinell arall, 'O fewn ei harch ysgafn hi', llinell glo
yn ddiamau, a rhaid newid cyfeiriad eto, o ran mynegiant ac o
ran odl. Mi wn yn iawn beth rwy'n dymuno'i ddweud yma, sef
synnu bod rhywun mor fawr ei phersonoliaeth, rhywun a gerid yn
angerddol gynt, rhywun a oedd yn nef ac yn ddaear i'w hanwyl-
iaid, wedi ei chywasgu i le mor gyfyng, a'i bod yn pwyso cyn
lleied. Ac yn null T. Arfon Williams, dyma weithio tuag yn ôl y
tro hwn, a daw'r drydedd linell hon:

> Synnwn fod modd ei rhoddi
> O fewn ei harch ysgafn hi.

Wedyn mae'n rhaid ateb y cwestiwn: pam mae rhywun yn synnu
fod modd ei rhoi o fewn ei harch? Yma mae'n rhaid chwilio am

wrthgyferbyniad rhwng yr esgyll a'r paladr, a dyma ddechrau meddwl: *Hon oedd . . . noddi, Hi oedd fy holl werthoedd i, Hon oedd y cread i ni, Hon oedd y nefoedd i ni, Hon oedd ein bydysawd ni, a hon oedd/ein holl nerth a'n hegni,* ac ar draws popeth daw englyn arall:

Hon oedd ein bydysawd ni, – a llawn oedd
    Yr holl nef ohoni:
    Synnwn fod modd ei rhoddi
    O fewn ei harch ysgafn hi.

Ond wedyn mae angen un neu ddau o newidiadau bychain eto:

Hon oedd ein bydysawd ni, – a llawn oedd
    Ein holl nef ohoni:
    Rhyfedd fod modd ei rhoddi
    O fewn ei harch ysgafn hi.

Ac efallai mai hwn yw'r englyn gorau. Fodd bynnag, mae'n rhaid rhoi'r gorau iddi yn fan yna. Gallai rhywun dreulio'i holl fywyd yn creu ac yn ail-greu'r englyn . . .

Ac eto, mae'r englyn yn dal i boeni rhywun, ac mae 'surprisingly light' – 'annisgwyl' ac 'ysgafn' – y gerdd wreiddiol yn mynnu dod yn ôl. Ni fyddai'r llinell 'Yn annisgwyl o ysgafn' yn dderbyniol o gwbl, o ran cynghanedd yn hytrach nag o ran ystyr, oherwydd bod tair 'n' yn wreiddgoll (heb eu hateb) ynddi, ac mae hynny'n hollol anfoddhaol. Ac ar ben hynny, mae'r odl a geir yn y gair 'ysga*fn*' yn odl anodd, brin. Ond mae yna ateb i'r broblem, sef gosod y llinell yn y cyrch, a dyma ddechreuad newydd sbon:

Yn ei harch ysgafn yw hi, – annisgwyl
    O ysgafn . . .

Ac mae'r ailadrodd ar 'ysgafn' yn gweithio i'r dim, gan mai'r ysgafnder annisgwyl hwn yw'r sioc. Y tro hwn hefyd mae'r gynghanedd Groes gytbwys ddiacen 'n' wreiddgoll yn berffaith gywir, gan fod y ddwy 'n' yn 'annisgwyl' yn cyfrif fel un. A dyna ni gydag englyn arall ar y gweill. Mae yna gwestiwn i'w ateb yma, sef pam mae'r arch yn 'annisgwyl/O ysgafn'? Felly, byddwn yn barod i ateb y cwestiwn:

> Yn ei harch ysgafn yw hi, – annisgwyl
> O ysgafn, gan iddi . . .

Ac mae angen cyferbyniad yma, rhwng y corff annisgwyl a rhyfeddol o ysgafn sy'n gorwedd yn yr arch, a'r person byw a oedd yn amlwg yn golygu llawer iawn i'r un sy'n llefaru yn yr englyn. Ac fe ddaw'r llinell:

> Roi ei nerth yn nerth i ni

Ac wedyn fe'i newidir:

> Roi'i nerth yn gryfder i ni,
> Rhoi'i hoes yn einioes inni.

A dyna ni, dyna'r englyn yn gyflawn orffenedig:

> Yn ei harch ysgafn yw hi, – annisgwyl
> O ysgafn, gan iddi
> Roi'i nerth yn gryfder i ni,
> Rhoi'i hoes yn einioes inni.

Ond tybed? Mae angen rhywbeth cryfach eto yn y ddwy linell glo, rhywbeth sy'n llwyr gyferbynnu â'r gelain ysgafn, fud, farw – rhywbeth fel 'cread' neu 'fyd'. A daw'r llinell 'Fod unwaith yn fyd inni'. Hynny yw, fel hyn y mae'r englyn yn swnio ac yn edrych ar hyn o bryd:

Yn ei harch ysgafn yw hi, – annisgwyl
  O ysgafn, gan iddi
  Fod unwaith yn fyd inni . . .

Ac mae angen un llinell eto. Ond cyn chwilio am y llinell honno, mae rhywun yn sylweddoli mai'r hyn sydd ei angen mewn gwirionedd yw *trydedd* linell, gan fod angen i'r englyn gloi'n gryf gyda'r llinell 'Fod unwaith yn fyd inni'. Felly, beth am:

Yn ei harch ysgafn yw hi, – annisgwyl
  O ysgafn, gan iddi,
  Wrth roi'i nerth yn nerth i ni,
  Fod unwaith yn fyd inni.

A dyna ni. Rhaid bodloni bellach. Fel arall, ni ddown ni byth, byth i ben.

ATEBION I'R YMARFERIADAU
YM MHENNOD 5

(1) Y Gofaint (W. Roger Hughes)

Wedi ffrwd y trafod ffraeth – ym min hwyr,
A mwynhau cwmnïaeth,
Gwŷr hoff ar wasgar a aeth
A hir erys yr hiraeth.

(2) Y Nyrs (R. Môn Jones)

Y claf yw maes ei llafur, – i eiddil
Hi weinydda gysur;
Â llaw gain hi wella gur,
Hi rydd eli ar ddolur.

(3) Nadolig (Dafydd Gruffydd)

Gŵyl Seren, Gŵyl y Geni, – Gŵyl cofio,
Gŵyl cyfarch a rhoddi;
A Gŵyl Nef – os gwelwn ni
Un a ddylem addoli.

(4) Gorffennol (Tîm Talwrn Deudraeth)

Hen ddalen fy meddyliau, – hen gyfrol,
Hen gyfrif profiadau,
Hen fyd a hen fywydau,
A hen gownt wedi'i hen gau.

(5) *Adfeilion Capel (Wil Ifan)*

Llwybr manwellt lle bu'r emynau: y drain
    Yn drwch dros weddïau;
  Ar sain cerdd y drysi'n cau,
  A'r danadl lle bu'r doniau.

(6) *Gŵyl Nadolig (T. Arfon Williams)*

Gŵyl ddibryder y seren a'i gwawl hi'n
    goleuo'r ffurfafen
  i ni, Gŵyl annwyl, Gŵyl wen,
  Gŵyl ieuanc a Gŵyl lawen.

(7) *3 Chwefror, 1986 (Donald Evans)*

Roedd 'na eira ddoe'n aros – yn garnedd
    Yn y gornel ddiddos
  Ar y wern gyda'r hwyrnos
  Am eira hwy am y rhos.

(8) *Gwell Cymraeg (Derwyn Jones)*

Wedi mwll gyfnodau maith, – dirywio'i
    Chystrawen â llediaith,
  Ymrown yn Gymry uniaith
  I adfer hoywder i'n hiaith.

(9) Y Nyrs (Robert Thomas Rowlands)

Rhagorol ferch trugaredd, – yn wastad
    Mae'n estyn ymgeledd;
    Hi a'n gwylia'n ein gwaeledd,
    Hi dyrr boen, hon oeda'r bedd.

(10) Poced (Tîm Talwrn Cylch y Garn)

Hi yw bedd y cybyddion – a di-glo
    Gist glwt eu cynilion,
    Ond i'r hael gwir ddyfnder hon
    Ydyw gwaelod ei galon.